W9-BSN-434

Con las dos obras maestras de Leandro Fernández de Moratín (Madrid, 1760-París, 1828) nace la comedia española moderna, con un grado de perfección como solo raras veces volverá a lograr. En La comedia nueva, *a través de una intriga dramática muy amena, basada en el juego del teatro dentro del teatro, cobra cuerpo la respuesta definitiva contra los moldes efectistas y ya muy decadentes de las comedias a la manera barroca.* El sí de las niñas, *la obra más aclamada de su tiempo, denuncia la ceguedad con que algunos padres planean el futuro de sus hijos y proclama la necesidad de que sean los jóvenes quienes encaucen de forma libre y responsable sus propios sentimientos. En ambas obras se aprecia el espíritu de regeneración espiritual y social que caracterizó a la Ilustración; pero, por encima de ello, late aquí el pulso de un dramaturgo excepcional, maestro en el perfecto engarce de las acciones, el control del discurrir temporal, el trazado de los personajes y su caracterización lingüística. No en vano Moratín fue elogiado por las generaciones posteriores como dueño del secreto de la «difícil facilidad», un estilo en apariencia sencillo, pero en verdad trabajado a conciencia para producir la impresión de naturalidad que solo los colosos de la lengua pueden alcanzar.*

Clásicos y Modernos 11

LEANDRO FERNÁNDEZ DE MORATÍN

LA COMEDIA NUEVA

EL SÍ DE LAS NIÑAS

Edición de
Jesús Pérez Magallón

crítica

EL SÍ DE LAS NIÑAS.

COMEDIA

EN TRES ACTOS,

EN PROSA.

SU AUTOR

INARCO CELENIO

P. A.

Estas son las seguridades que dan los padres, y los tutores, y esto lo que se debe fiar en el sí de las niñas. ACT. III. SCENA XIII.

MADRID.

IMPRENTA DE VILLALPANDO.

MDCCCVI.

Página anterior: portada de la segunda edición de *El sí de las niñas* (Madrid, 1806), que contiene los cambios introducidos por Moratín después del estreno.

LA COMEDIA NUEVA

Non ego ventosae plebis suffragia venor.[1]

Horacio, *Epístolas,* I, 19

TÍTULO. Aunque algunos impresores, críticos y editores antiguos y modernos confirieron o aceptaron *El café* como título alternativo, no hay indicio alguno de que Moratín, a pesar de que en su correspondencia privada con Melón la llama así —lo mismo que *El viejo y la niña* se reduce a *Don Roque*, por el nombre de su anciano protagonista—, quisiera darle tal título. Es hora de descartarlo de una vez por todas.

[1] 'No voy a la busca de la aprobación del vulgo veleidoso.'

ADVERTENCIA[2]

«Esta comedia ofrece una pintura fiel del estado actual de nuestro teatro (dice el prólogo de su primera edición); pero ni en los personajes ni en las alusiones se hallará nadie retratado con aquella identidad que es necesaria en cualquiera copia para que por ella pueda indicarse el original. Procuró el autor, así en la formación de la fábula como en la elección de los caracteres, imitar la naturaleza en lo universal, formando de muchos un solo individuo.»

En el prólogo que precede a la edición de Parma se dice: «De muchos escritores ignorantes que abastecen nuestra escena de comedias desatinadas, de sainetes groseros, de tonadillas necias y escandalosas, formó un D. Eleuterio; de muchas mujeres sabidillas y fastidiosas, una D.ª Agustina; de muchos pedantes erizados, locuaces, presumidos de saberlo todo, un D. Hermógenes; de muchas farsas monstruosas, llenas de disertaciones morales, soliloquios furiosos, hambre calagurritana,[3] revista de ejércitos, batallas, tempestades, bombazos y humo, formó *El gran cerco de Viena*; pero ni aquellos personajes ni esta pieza existen».

D. Eleuterio es, en efecto, el compendio de todos los malos poetas dramáticos que escribían en aquella época, y la comedia de que se le supone autor, un monstruo imaginario compuesto de todas las extravagancias que se representaban entonces en los teatros de Madrid. Si en esta obra se hubiesen ridiculizado los desaciertos de Cañizares, Añorbe o Zamora, inútil ocupación hubiera sido censurar a quien ya no podía enmendarse ni defenderse.

Las circunstancias de tiempo y lugar, que tanto abundan en esta pieza, deben ya necesariamente hacerla perder una parte del aprecio público, por haber desaparecido o alterádose los originales que imitó; pero el transcurso mismo del tiempo la hará más estimable a los que apetezcan adquirir conocimiento del estado en que se hallaba nuestra dramática en los veinte años últimos del siglo anterior. Llegará sin duda la época en que desaparezca de

[2] Moratín antepuso diferentes prólogos o advertencias a las ediciones de 1792, 1796 y 1825, además de un borrador manuscrito de hacia 1807. Aquí he optado por dejar tan sólo la de 1825.

[3] *hambre calagurritana*: 'hambre extremada'. Por la que padecieron los habitantes de Calagurris (Calahorra) durante el asedio del ejército de Pompeyo en tiempo de las guerras sertorianas (76-72 a. C.).

la escena (que en el género cómico sólo sufre la pintura de los vicios y errores vigentes); pero será un monumento de historia literaria,[4] único en su género, y no indigno tal vez de la estimación de los doctos.

Luego que el autor se la leyó a la compañía de Ribera, que la debía representar, empezaron a conmoverse los apasionados de la compañía de Martínez.[5] Cómicos, músicos, poetas, todos hicieron causa común, creyendo que de la representación de ella resultaría su total descrédito y la ruina de sus intereses. Dijeron que era un sainete largo, un diálogo insulso, una sátira, un libelo infamatorio; y bajo este concepto se hicieron reclamaciones enérgicas al gobierno para que no permitiera su publicación. Intervino en su examen la autoridad del presidente del Consejo, la del corregidor de Madrid y la del vicario eclesiástico; sufrió cinco censuras, y resultó de todas ellas que no era un libelo, sino una comedia escrita con arte, capaz de producir efectos muy útiles en la reforma del teatro.[6] Los cómicos la estudiaron con esmero particular, y se acercaba el día de hacerla. Los que habían dicho antes que era un diálogo insípido, temiendo que tal vez no le pareciese al público tan mal como a ellos, trataron de juntarse en gran número y acabar con ella en su primera representación, la cual se verificó en el teatro del Príncipe el día 7 de febrero de 1792.

El concurso la oía con atención, sólo interrumpida por sus mismos aplausos; los que habían de silbarla no hallaban la ocasión de empezar, y su desesperación llegó al extremo cuando creyeron ver su retrato en la pintura que hace D. Serapio de la ignorante plebe que en aquel tiempo favorecía o desacreditaba el mérito de las piezas y de los actores y, tiranizando el teatro, concedía su

[4] Varios críticos han insistido, frente a la afirmación del dramaturgo, en los valores universales o atemporales de la obra, llegando a defender que su estudio pertenece de pleno derecho a la literatura, y no a la historia literaria.

[5] Véase la nota 26 del acto I.

[6] El 27 de enero de 1792, Comella elevó un memorial al conde de Cifuentes, presidente del Consejo de Castilla, pidiendo que, por tratarse de una sátira directa, se castigase al autor según las leyes. Pasó el asunto al corregidor de Madrid y juez protector de los teatros, José Antonio Armona, quien solicitó la opinión de Díez González y Miguel de Manuel, neoclásicos y reformistas ambos. Sus informes exculparon a Moratín y ridiculizaron a Comella. El vicario eclesiástico, que negaba su aprobación sin que se haya averiguado muy bien por qué, acabó cediendo, y las aprobaciones estuvieron a punto el 5 de febrero, dos días antes del estreno.

protección a quien más se esmeraba en solicitarla por los medios que allí se indican. El patio recibió la lección áspera que se le daba con toda la indignación que era de temer en quien iba tan mal dispuesto a recibirla; lo restante del auditorio logró imponer silencio a aquella irritada muchedumbre, y los cómicos siguieron más animados desde entonces y con más seguridad del éxito. Al exclamar D. Eleuterio en la escena VII del acto II: *¡Picarones! ¿Cuándo han visto ellos comedia mejor?*, supo decirlo el actor que desempeñaba este papel con expresión tan oportunamente equívoca que la mayor parte del concurso (aplicando aquellas palabras a lo que estaba sucediendo) interrumpió con aplausos la representación. La turba de los conjurados perdió la esperanza y el ánimo, y el general aprecio que obtuvo aquel día esta comedia no pudo ser más conforme a los deseos del autor.

Manuel Torres sobresalió en el papel de D. Pedro, dándole toda la nobleza y expresión que pide; Juana García, en el de D.ª Mariquita, mereció general estimación, nada dejó que desear y dio a las tareas de los artífices asunto digno; Polonia Rochel representó con acierto la presunción necia de D.ª Agustina; el excelente actor Mariano Querol pintó en D. Hermógenes un completo pedante, escogido entre los muchos que pudo imitar. Manuel García Parra excitó el entusiasmo del público en su papel de D. Eleuterio: la voz, el gesto, los ademanes, el traje, todo fue tan acomodado al carácter que representó que parecía en él naturaleza lo que era estudio.

PERSONAS

D. ELEUTERIO	D. PEDRO
D.ª AGUSTINA	D. ANTONIO
D.ª MARIQUITA	D. SERAPIO
D. HERMÓGENES	PIPÍ

La escena es en un café de Madrid, inmediato a un teatro.[7]

El teatro representa una sala con mesas, sillas y aparador de café; en el foro, una puerta con escalera a la habitación principal y otra puerta a un lado que da paso a la calle.[8]

La acción empieza a las cuatro de la tarde y acaba a las seis.[9]

[7] Se indica aquí el único lugar en donde va a transcurrir la acción, siguiendo el criterio ya aplicado explícitamente por Nicolás F. de Moratín y Tomás de Iriarte. Según algunos, este café no era sino una trasposición poética de la celebérrima Fonda de San Sebastián, cuya tertulia alcanzó gran fama durante la segunda mitad del siglo XVIII.

[8] Frente a las farragosas y exuberantes descripciones del lugar o lugares en que se va a desarrollar la acción, características de las comedias populares de la época, se subraya aquí la sencillez e incluso «pobreza» del decorado, primer elemento que aproxima al espectador a lo realista y cotidiano de la acción dramática.

[9] Esta acotación no aparece en la edición de 1792. Carece de sentido, por tanto, insistir —como hacen algunos críticos— en que Moratín ha querido, *desde el primer momento*, hacer notar la unidad de tiempo. La duración de la acción, sin embargo, y por su propia dinámica, parece coincidir con la de su representación.

ACTO PRIMERO

ESCENA I[10]

D. ANTONIO, PIPÍ

D. ANTONIO. (*Sentado junto a una mesa; Pipí paseándose.*) Parece que se hunde el techo. Pipí.

PIPÍ. Señor.

D. ANTONIO. ¿Qué gente hay arriba, que anda tal estrépito? ¿Son locos?

PIPÍ. No, señor; poetas.[11]

D. ANTONIO. ¿Cómo poetas?

PIPÍ. Sí, señor. ¡Así lo fuera yo! ¡No es cosa![12] Y han tenido una gran comida. Burdeos, pajarete, marrasquino,[13] ¡uh!

D. ANTONIO. ¿Y con qué motivo se hace esa francachela?

PIPÍ. Yo no sé, pero supongo que será en celebridad de la comedia nueva que se representa esta tarde, escrita por uno de ellos.

D. ANTONIO. ¿Conque han hecho una comedia? ¡Haya picarillos![14]

PIPÍ. Pues ¿qué? ¿No lo sabía usted?

D. ANTONIO. No, por cierto.

PIPÍ. Pues ahí está el anuncio en el diario.[15]

D. ANTONIO. En efecto, aquí está. (*Leyendo el diario que está sobre la mesa.*) Comedia nueva, intitulada: *El gran cerco de Vie-*

---

[10] A diferencia de la comedia barroca, en que la introducción suele encomendarse a la relación de algún gracioso o algún personaje de la obra, aquí, con mayor artificio, se desenvuelve a lo largo de toda la escena primera.

[11] Es alusión al «furor poético», al «rapto de la mente» que puede convertirse en simple locura.

[12] Exclamación —hoy en desuso— de difícil equivalencia, tal vez semejante a '¡Ahí es nada!' o ¡Es increíble!'. La repite D. Antonio un poco más abajo, pero en tono irónico.

[13] *pajarete*: 'vino oloroso fino, elaborado en un monasterio próximo a Jerez'; *marrasquino*: 'licor dulce obtenido de cerezas amargas'.

[14] Uso del subjuntivo con el mismo valor que el futuro de sorpresa.

[15] Se refiere sin duda al *Diario de Madrid*, en el que se solía anunciar diariamente la cartelera teatral, lo mismo que sucedía en el *Diario de Barcelona* y otros periódicos de provincias que el local solía poner a disposición de los clientes, como también ocurre en *El café de Barcelona*, 3, de Ramón de la Cruz.

na.[16] ¡No es cosa! Del sitio de una ciudad hacen una comedia. Si son el diantre.[17] ¡Ay, amigo Pipí, cuánto más vale ser mozo de café que poeta ridículo!

PIPÍ. Pues, mire usted, la verdad, yo me alegrara de saber hacer, así, alguna cosa...

D. ANTONIO. ¿Cómo?

PIPÍ. Así, de versos... ¡Me gustan tanto los versos!

D. ANTONIO. ¡Oh! Los buenos versos son muy estimables; pero hoy día son tan pocos los que saben hacerlos, tan pocos, tan pocos.

PIPÍ. No, pues los de arriba se conoce que son del arte. ¡Válgame Dios cuántos han echado por aquella boca! Hasta las mujeres.

D. ANTONIO. ¡Oiga! ¿También las señoras decían coplillas?

PIPÍ. ¡Vaya! Allí hay una D.ª Agustina, que es mujer del autor de la comedia... ¡qué! Si usted viera... Unas décimas componía de repente...[18] No es así la otra, que en toda la mesa no ha hecho más que retozar con aquel D. Hermógenes[19] y tirarle miguitas de pan al peluquín.[20]

D. ANTONIO. ¿D. Hermógenes está arriba? ¡Gran pedantón![21]

[16] El título recuerda el de la obra de Luciano Francisco Comella, *El sitio de Calés*, pero se escribieron otras muchas comedias heroicas con títulos semejantes. El ataque de la obra se dirige contra la comedia heroica y todos los aspectos que la caracterizan en el XVIII: exotismo, acciones maravillosas, conductas delictivas desde la óptica ilustrada, personajes que saltan los límites de su condición —social o cultural—, mezcla de rasgos propios de la tragedia y la comedia.

[17] 'el demonio, el diablo', forma vulgar atenuada. Se dice de gente temeraria, atrevida y traviesa.

[18] La actitud contra los repentistas o versificadores de improvisación fue constante en Moratín. En la *Vida* de su padre narra una curiosa anécdota sobre el tema. Aquí no hace más que resaltar los rasgos negativos de D.ª Agustina.

[19] El nombre de Hermógenes sigue en el santoral al de Eleuterio, los días 18 y 19 de abril. No debe ser casualidad, pues los avatares de ambos personajes están muy entrelazados.

[20] Comella, en el memorial elevado al presidente del Consejo, alegaba que este juego entre Mariquita —trasunto de su hija Joaquina, convertida ficticiamente en hermana— y D. Hermógenes era una de las «particularidades injuriosas que trascienden al "decoro de su mujer"».

[21] Escribe el autor anónimo de unas «Reflexiones sobre la palabra pedante» (1806) que la pedantería es «a veces el arte de aparentar fingida su verdadera ignorancia» y que «el peor género entre los pedantes literarios es de aquellos que naturalmente provistos de corta dosis de sentido común, han leído gran número de libros sin gusto ni reflexión».

PIPÍ. Pues con ése ha estado jugando, y cuando la decían: Mariquita, una copla, vaya una copla, se hacía la vergonzosa; y por más que la estuvieron azuzando a ver si rompía, nada. Empezó una décima y no la pudo acabar porque decía que no encontraba el consonante;[22] pero D.ª Agustina, su cuñada... ¡Oh! Aquélla sí. Mire usted lo que es... Ya se ve, en teniendo vena.[23]

D. ANTONIO. Seguramente. ¿Y quién es ese que cantaba poco ha y daba aquellos gritos tan descompasados?

PIPÍ. ¡Oh! Ése es D. Serapio.[24]

D. ANTONIO. Pero ¿qué es? ¿Qué ocupación tiene?

PIPÍ. Él es... Mire usted, a él le llaman D. Serapio.

D. ANTONIO. ¡Ah, sí! Ése es aquel bullebulle que hace gestos a las cómicas, y las tira dulces a la silla cuando pasan, y va todos los días a saber quién dio cuchillada, y desde que se levanta hasta que se acuesta no cesa de hablar de la temporada de verano, la chupa del sobresaliente y las partes de por medio.[25]

PIPÍ. Ése mismo. ¡Oh! Ése es de los apasionados finos.[26]

[22] Quiere decir que no encontraba el modo de concluir adecuadamente la rima. El *Arte poética española*, de Rengifo, lleva una «fertilísima silva de consonantes comunes, propios, esdrújulos y reflejos». La edición dieciochesca de la obra añadió consonantes y un tratado de asonantes. Moratín alude burlescamente al tratado de Rengifo en *La derrota de los pedantes.*

[23] 'inspiración, numen'. El giro *en* + gerundio es rasgo estilístico frecuente en Moratín y suele significar anterioridad inmediata a la acción del verbo principal o, como aquí, causa de algo.

[24] Este nombre podría provenir de Séneca. Sin embargo, la afición moratiniana por el mismo podría arrancar de la sonoridad indiscutible y algo cómica de Serapión (acreditada en su poesía y en *El sí de las niñas*).

[25] *bullebulle*: 'persona inquieta, entremetida y de viveza excesiva'; *silla*: 'la silla de manos en que acudían las cómicas al teatro'; *dio cuchillada*; 'obtener alguna de las compañías o de los actores la preferencia del público o bien mayor entrada que la compañía rival'; *chupa*: 'parte del vestido que cubría el tronco, con mangas ajustadas, y sobre la que se solía poner la casaca'; *sobresaliente*: 'actor que debía suplir la falta o ausencia de otro'; *partes de por medio*: 'actores o actrices de segunda clase que reciben asignación diaria y parte de las utilidades de la compañía'.

[26] Partidario fanático de alguna de las compañías dramáticas. Huerta los considera «gente por lo regular oscura y de ninguna instrucción». En la época de Moratín, y a pesar de las providencias gubernamentales —en especial bajo Aranda— para mejorar el desarrollo del espectáculo, los mosqueteros que ocupaban el patio se dividían en *chorizos* y *polacos*. Los primeros eran hinchas de la compañía de Manuel Martínez, que solía representar en el teatro de la Cruz; los segundos, de la de Eusebio Ribera, que lo hacía en el Príncipe.

Aquí se viene todas las mañanas a desayunar y arma unas disputas con los peluqueros que es un gusto oírle. Luego se va allá abajo, al barrio de Jesús.[27] Se juntan cuatro amigos, hablan de comedias, altercan, ríen, fuman en los portales.[28] D. Serapio los introduce aquí y acullá hasta que da la una, se despiden, y él se va a comer con el apuntador.

D. ANTONIO. ¿Y ese D. Serapio es amigo del autor de la comedia?

PIPÍ. ¡Toma! Son uña y carne. Y él ha compuesto el casamiento de D.ª Mariquita, la hermana del poeta, con D. Hermógenes.[29]

D. ANTONIO. ¿Qué me dices? ¿D. Hermógenes se casa?

PIPÍ. ¡Vaya si se casa! Como que parece que la boda no se ha hecho ya porque el novio no tiene un cuarto ni el poeta tampoco. Pero le ha dicho que con el dinero que le den por esta comedia y lo que ganará en la impresión les pondrá la casa y pagará las deudas de D. Hermógenes, que parece son bastantes.

D. ANTONIO. Si serán. ¡Cáspita si serán! Pero, y si la comedia apesta y por consecuencia ni se la pagan ni se vende, ¿qué harán entonces?

PIPÍ. Entonces ¿qué sé yo? Pero ¡qué! No, señor. Si dice D. Serapio que comedia mejor no se ha visto en tablas.

D. ANTONIO. ¡Ah! Pues si D. Serapio lo dice, no hay que temer. Es dinero contante, sin remedio. Figúrate tú si D. Serapio y el apuntador sabrán muy bien dónde les aprieta el zapato y cuál comedia es buena y cuál deja de serlo.

[27] Debe referirse a lo que Mesonero Romanos llama el «mentidero de los representantes», situado en Madrid, entre las actuales calles de Lope de Vega y Cervantes, entrando por la de León. Recibía ese nombre por la iglesia de Jesús, donde se veneraba la imagen de Jesús Nazareno y que fue destruida durante la Guerra de la Independencia. La mención a los peluqueros enmarca al apasionado sociológicamente.

[28] Fumar —cigarros, se supone— no se consideraba acción demasiado urbana. Iriarte alude en *El señorito mimado*, I, 2, a «otras tertulias / perfumadas de cigarro» en tono no demasiado encomiástico. Y también D. Claudio, en *La mojigata*, I, 2 suele «fumar donde nadie fuma»; la misma actitud se encuentra en Cadalso, *Cartas marruecas*, VII, y Jovellanos, Sátira II, «A Arnesto». Lo más refinado seguía siendo tomar rapé, aunque el mismo Moratín escribe en su correspondencia que se harta de fumar, y parece ser que al regreso de su periplo europeo tuvo problemas por intentar introducir tabaco.

[29] Que sea el mosquetero quien concierta la boda refleja con claridad la dejación de responsabilidades que como *pater familias* competen a D. Eleuterio.

PIPÍ. Eso digo yo; pero a veces... Mire usted, no hay paciencia. Ayer, ¡qué!, les hubiera dado con una tranca. Vinieron ahí tres o cuatro a beber ponch,[30] y empezaron a hablar, hablar de comedias, vaya. Yo no me puedo acordar de lo que decían. Para ellos no había nada bueno: ni autores, ni cómicos, ni vestidos, ni música, ni teatro. ¡Qué sé yo cuánto dijeron aquellos malditos! Y dale con el arte, el arte, la moral y... deje usted, las... ¿si me acordaré? las... ¡Válgate Dios! ¿Cómo decían? Las... las reglas... ¿Qué son las reglas?[31]

D. ANTONIO. Hombre, difícil es explicártelo. Reglas son unas cosas que usan allá los extranjeros, particularmente los franceses.

PIPÍ. Pues ya decía yo: esto no es cosa de mi tierra.

D. ANTONIO. Sí tal, aquí también se gastan, y algunos han escrito comedias con reglas, bien que no llegarán a media docena (por mucho que se estire la cuenta) las que se han compuesto.[32]

PIPÍ. Pues ya se ve; mire usted, ¡reglas! No faltaba más. ¿A que no tiene reglas la comedia de hoy?

D. ANTONIO. ¡Oh! Eso yo te lo fío; bien puedes apostar ciento contra uno a que no las tiene.

PIPÍ. Y las demás que van saliendo cada día tampoco las tendrán ¿no es verdad usted?[33]

D. ANTONIO. Tampoco. ¿Para qué? No faltaba otra cosa sino que para hacer una comedia se gastaran reglas. No señor.

PIPÍ. Bien, me alegro. Dios quiera que pegue[34] la de hoy,

---

[30] Aunque no sabemos cómo se hacía exactamente el ponche, se prepara a base de ron templado, agua, limón y azúcar. Con esa forma lo escribe siempre Moratín, también en su *Diario*, pero Ramón de la Cruz usa la forma 'ponche' en *El café de Barcelona*, 4.

[31] En esa palabra —usada peyorativamente— venía a resumir un amplio sector la actitud reformista neoclásica, que era la que debían de defender los clientes a quienes escuchó Pipí. Gran parte de la crítica actuó después con la misma simpleza simplificatoria que Pipí. D. Antonio, en tono zumbón, responde con otro elemento de la misma versión reduccionista, que también la crítica tomará como credo: el origen francés de las reglas.

[32] Alude forzosamente a las obras de Nicolás F. de Moratín, Jovellanos, Trigueros, Meléndez e Iriarte, a quienes juzga con diferentes resultados en el «Prólogo» a sus *Obras dramáticas y líricas*. En realidad, tampoco tenía mucho donde elegir.

[33] El uso repetitivo de *usted*, incluso en casos en que resulta prescindible, acentúa la posición subordinada socialmente de los personajes que lo emplean.

[34] 'tenga éxito'.

y luego verá usted cuántas escribe el bueno de D. Eleuterio.[35] Porque, lo que él dice, si yo me pudiera ajustar con los cómicos a jornal, entonces...[36] ¡Ya se ve! Mire usted si con un buen situado[37] podía él...

D. ANTONIO. Cierto. (*Aparte.*) ¡Qué simplicidad!

PIPÍ. Entonces escribiría, ¡qué! Todos los meses sacaría dos o tres comedias...[38] Como es tan hábil.

D. ANTONIO. ¿Conque es muy hábil, eh?

PIPÍ. ¡Toma! Poquito le quiere el segundo barba;[39] y si en él consistiera, ya se hubieran echado las cuatro o cinco comedias que tiene escritas; pero no han querido los otros, y ya se ve, como ellos lo pagan. En diciendo no nos ha gustado, así, andar, ¡qué diantres! Y luego, como ellos saben lo que es bueno, y en fin, mire usted si ellos... ¿No es verdad?

D. ANTONIO. Pues ya.

PIPÍ. Pero, deje usted, que aunque es la primera que le representan, me parece a mí que ha de dar el golpe.[40]

D. ANTONIO. ¿Conque es la primera?

PIPÍ. La primera. Si es mozo todavía. Yo me acuerdo... Habrá cuatro o cinco años que estaba de escribiente ahí en esa lotería de la esquina, y le iba muy ricamente;[41] pero como después se hizo paje,[42] y el amo se le murió a lo mejor, y él se había casado de secreto con la doncella, y tenía ya dos criaturas, y después

[35] La elección de este nombre para el protagonista puede responder al carácter semántico que tiene en latín, de origen griego: 'libertad' (las fiestas eleuterias se dedicaban a Júpiter libertador y el *eleutherium* era una especie de collar, signo de libertad); también era sobrenombre aplicado a Baco. En esa mezcla de excesiva libertad —respecto a las reglas, claro— y la ebriedad a que puede conducir la inspiración sin control debe hallarse la explicación del nombre.

[36] Era habitual que un «poeta» escribiera a destajo para una compañía, pues, cobrando unos 1.500 reales por comedia, precisaba componer alrededor de diez para vivir sin estrecheces.

[37] 'ingreso regular, salario o renta'.

[38] «Pipí se explica como todos los ignorantes que no conciben la dificultad que lleva en sí la composición de una buena comedia» (*Nota de Moratín*).

[39] 'cómico especializado en papeles de persona mayor o anciano'.

[40] 'asombrar y tener éxito'.

[41] D. Eleuterio había sido escribiente en un despacho de billetes de lotería, juego creado bajo el reinado de Carlos III. Establecida por Real Orden de 30 de septiembre de 1763, sus primeras oficinas se instalaron en la plazuela de San Ildefonso y en la de los Trinitarios descalzos.

[42] *paje*: 'criado encargado de menesteres domésticos'.

le han nacido otras dos o tres,[43] viéndose él así, sin oficio ni beneficio, ni pariente ni habiente, ha cogido y se ha hecho poeta.

D. ANTONIO. Y ha hecho muy bien.

PIPÍ. Pues ya se ve: lo que él dice, si me sopla la musa, puedo ganar un pedazo de pan para mantener aquellos angelitos y así ir trampeando hasta que Dios quiera abrir camino.[44]

ESCENA II

D. PEDRO, D. ANTONIO, PIPÍ

D. PEDRO. Café. (*D. Pedro se sienta junto a una mesa distante de D. Antonio; Pipí le sirve el café.*)

PIPÍ. Al instante.

D. ANTONIO. No me ha visto.

PIPÍ. ¿Con leche?

D. PEDRO. No. Basta.

PIPÍ. ¿Quién es éste? (*A D. Antonio, al retirarse.*)

D. ANTONIO. Éste es D. Pedro de Aguilar, hombre muy rico, generoso, honrado, de mucho talento, pero de un carácter tan ingenuo,[45] tan serio y tan duro, que le hace intratable a cuantos no son sus amigos.

PIPÍ. Le veo venir aquí algunas veces, pero nunca habla, siempre está de mal humor.[46]

43 Comella alegaba en el memorial ya mencionado estas referencias al matrimonio y al número de hijos como propias de su biografía. Él se había casado —aunque no en secreto— con M.ª Teresa Beyermón, doncella de la marquesa de Mortara, en cuya casa era familiar y protegido el dramaturgo desde su orfandad. Cuatro hijos debían de tener en esa época.

44 La ausencia de *a* en los sintagmas nominales de objeto directo es rasgo constante en Moratín; *trampeando*: 'utilizar cualquier medio lícito para hacer más llevadera una situación difícil'.

45 'franco, sincero'.

46 Las palabras de Pipí dibujan a D. Pedro como un misántropo, pero el comentario de D. Antonio alude a la dualidad propia del personaje, que se revelará especialmente en el desenlace.

ESCENA III

D. SERAPIO, D. ELEUTERIO, D. PEDRO, D. ANTONIO, PIPÍ

D. SERAPIO. ¡Pero hombre, dejarnos así! (*Bajando la escalera, salen por la puerta del foro.*)

D. ELEUTERIO.[47] Si se lo he dicho a usted ya. La tonadilla que han puesto a mi función no vale nada, la van a silbar, y quiero concluir ésta mía para que la canten mañana.[48]

D. SERAPIO. ¿Mañana? ¿Conque mañana se ha de cantar y aún no están hechas ni letra ni música?

D. ELEUTERIO. Y aun esta tarde pudieran cantarla, si usted me apura. ¿Qué dificultad? Ocho o diez versos de introducción, diciendo que callen y atiendan y chitito. Después, unas cuantas coplillas del mercader que hurta, el peluquero que lleva papeles, la niña que está opilada,[49] el cadete que se baldó en el portal,[50] cuatro equivoquillos, etc., y luego se concluye con seguidillas de la tempestad, el canario, la pastorcilla y el arroyito. La música, ya se sabe cuál ha de ser: la que se pone en todas; se añade o se quita un par de gorgoritos, y estamos al cabo de la calle.

D. SERAPIO. ¡El diantre es usted, hombre! Todo se lo halla hecho.

D. ELEUTERIO. Voy, voy a ver si la concluyo, falta muy poco. Súbase usted. (*D. Eleuterio se sienta junto a una mesa inmediata al foro; saca papel y tintero y escribe.*)

D. SERAPIO. Voy allá, pero...

D. ELEUTERIO. Sí, sí, váyase usted; y si quieren más licor, que lo suba el mozo.

47 Moratín se esforzó en las diferentes «advertencias» por evitar la identificación de D. Eleuterio con ninguna personalidad concreta, insistiendo en que había habido muchos modelos para el personaje y que se trataba de una imitación en lo universal. Sin embargo, demasiados detalles conducen a señalar un ser real por encima de los demás: Luciano F. Comella. Ello no es óbice para aceptar los valores universales del poeta de ficción.

48 Las tonadillas habían venido a sustituir a las jácaras y otros bailes característicos de las representaciones teatrales en el siglo anterior y parte del XVIII.

49 'que ha perdido la menstruación', tal vez por actos deshonestos.

50 *se baldó*: 'quedó maltrecho'.

D. SERAPIO. Sí, siempre será bueno que lleven un par de frasquillos más. Pipí.

PIPÍ. Señor.

D. SERAPIO. Palabra. (*D. Serapio habla en secreto con Pipí y vuelve a irse por la puerta del foro; Pipí toma del aparador unos frasquillos y se va por la misma puerta.*)

D. ANTONIO. ¿Cómo va, amigo D. Pedro? (*D. Antonio se sienta cerca de D. Pedro.*)

D. PEDRO. ¡Oh, señor D. Antonio! No había reparado en usted. Va bien.

D. ANTONIO. ¿Usted a estas horas por aquí? Se me hace extraño.

D. PEDRO. En efecto lo es; pero he comido ahí cerca. A fin de mesa se armó una disputa entre dos literatos que apenas saben leer. Dijeron mil despropósitos, me fastidié y me vine.

D. ANTONIO. Pues con ese genio tan raro que usted tiene, se ve precisado a vivir como un ermitaño en medio de la corte.

D. PEDRO. No, por cierto. Yo soy el primero en los espectáculos, en los paseos, en las diversiones públicas; alterno los placeres con el estudio; tengo pocos pero buenos amigos, y a ellos debo los más felices momentos de mi vida. Si en las concurrencias particulares soy raro algunas veces, siento serlo, pero ¿qué le he de hacer? Yo no quiero mentir, ni puedo disimular, y creo que el decir la verdad francamente es la prenda más digna de un hombre de bien.[51]

D. ANTONIO. Sí, pero cuando la verdad es dura a quien ha de oírla, ¿qué hace usted?[52]

D. PEDRO. Callo.

D. ANTONIO. ¿Y si el silencio de usted le hace sospechoso?

D. PEDRO. Me voy.

D. ANTONIO. No siempre puede uno dejar el puesto, y entonces...

D. PEDRO. Entonces digo la verdad.

D. ANTONIO. Aquí mismo he oído hablar muchas veces de usted. Todos aprecian su talento, su instrucción y su probidad; pero no dejan de extrañar la aspereza de su carácter.

[51] La total franqueza o sinceridad es rasgo que caracteriza al hombre de bien en la concepción ilustrada.

[52] Se recoge aquí la influencia de Molière.

D. PEDRO. ¿Y por qué? Porque no vengo a predicar al café. Porque no vierto por la noche lo que leí por la mañana. Porque no disputo, ni ostento erudición ridícula, como tres, o cuatro, o diez pedantes que vienen aquí a perder el día y a excitar la admiración de los tontos y la risa de los hombres de juicio.[53] ¿Por eso me llaman áspero y extravagante? Poco me importa. Yo me hallo bien con la opinión que he seguido hasta aquí de que en un café jamás debe hablar en público el que sea prudente.

D. ANTONIO. ¿Pues qué ha de hacer?

D. PEDRO. Tomar café.[54]

D. ANTONIO. ¡Viva! Pero hablando de otra cosa, ¿qué plan tiene usted para esta tarde?

D. PEDRO. A la comedia.

D. ANTONIO. Supongo que irá usted a ver la pieza nueva.[55]

D. PEDRO. ¿Qué, han mudado? Ya no voy.

D. ANTONIO. ¿Pero por qué? Vea usted sus rarezas.

(*Sale Pipí por la puerta del foro con salvilla,*[56] *copas y frasquillos que dejará sobre el mostrador.*)

D. PEDRO. ¿Y usted me pregunta por qué? ¿Hay más que ver la lista de las comedias nuevas que se representan cada año para inferir los motivos que tendré de no ver la de esta tarde?[57]

[53] D. Pedro se presenta a sí mismo como el polo opuesto del pedante, tipo social al que Moratín flageló sin piedad a lo largo de toda su vida. Recuérdense sus versos: «Sólo el pedante vocinglero, hinchado / de vanidad y ponzoñosa envidia, / todo lo sabe. En el café gobierna / los imperios del orbe»; o estos otros: «Yo, que no soy embrollón, / ni pongo mi ingenio en venta, /ni predico en el café / donde retumbaba Huerta».

[54] La claridad se impone en todos los niveles de la vida social: el poeta debe escribir como el rey reinar; al café se debe ir a tomar café como a la librería a comprar libros.

[55] Aunque Cadalso consideraba que emplear la voz *pieza* en lugar de *obra* o cualquiera de sus sinónimos era un gesto propio del erudito a la violeta, la acepción de 'obra de teatro', en general, era de uso frecuente durante el siglo. La relación entre *La comedia nueva* y *Los eruditos a la violeta* es mayor de lo que se ha señalado hasta ahora, como podrá observarse en las notas que siguen.

[56] 'bandeja con encajaduras para asegurar los recipientes que se llevan en ella'.

[57] D. Pedro alude a los retorcidos títulos propios de las comedias populares de la época. Las carteleras, sin embargo, también han permitido a la crítica ahondar y perfilar en el conocimiento de la vida y gustos teatrales de ese período.

D. ELEUTERIO. ¡Hola! Parece que hablan de mi función. (*Escuchando la conversación.*)

D. ANTONIO. De suerte que o es buena o es mala. Si es buena, se admira y se aplaude; si, por el contrario, está llena de sandeces, se ríe uno, se pasa el rato y tal vez...

D. PEDRO. Tal vez me han dado impulsos de tirar al teatro el sombrero, el bastón y el asiento si hubiera podido. A mí me irrita lo que a usted le divierte.[58] (*Guarda D. Eleuterio papel y tintero y se va acercando hasta ponerse en medio de los dos.*) Yo no sé; usted tiene talento y la instrucción necesaria para no equivocarse en materias de literatura; pero usted es el protector nato de todas las ridiculeces. Al paso que conoce usted y elogia las bellezas de una obra de mérito, no se detiene en dar iguales aplausos a lo más disparatado y absurdo; y con una rociada de pullas, chufletas e ironías, hace usted creer al mayor idiota que es un prodigio de habilidad. Ya se ve, usted dirá que se divierte, pero amigo...

D. ANTONIO. Sí señor que me divierto. Y, por otra parte, ¿no sería cosa cruel ir repartiendo por ahí desengaños amargos a ciertos hombres cuya felicidad estriba en su propia ignorancia? ¿Ni cómo es posible persuadirles...?

D. ELEUTERIO. No, pues... Con permiso de ustedes. La función de esta tarde es muy bonita seguramente. Bien puede usted ir a verla, que yo le doy mi palabra que le ha de gustar.

D. ANTONIO. ¿Es éste el autor? (*D. Antonio se levanta y, después de la pregunta que hace a Pipí, vuelve a hablar con D. Eleuterio.*)

PIPÍ. El mismo.

D. ANTONIO. ¿Y de quién es? ¿Se sabe?

D. ELEUTERIO. Señor, es de un sujeto bien nacido, muy aplicado, de buen ingenio, que empieza ahora la carrera cómica, bien que el pobrecillo no tiene protección.

D. PEDRO. Si es ésta la primera pieza que da al teatro, aún no puede quejarse; si ella es buena, agradará necesariamente, y un gobierno ilustrado como el nuestro,[59] que sabe cuánto inte-

[58] A pesar de que se ha indicado ya el parentesco de D. Pedro y D. Antonio con Alceste y Philinte, de Molière, no debe olvidarse que Cadalso dedica *Los eruditos a la violeta* a Demócrito y Heráclito, «para reír el uno a carcajada tendida, y llorar el otro a moco suelto».

[59] Hasta la Real Orden de 1799 para la reforma de los teatros, la intervención oficial se reducía al control ideológico y a la regulación adminis-

resan a una nación los progresos de la literatura, no dejará sin premio a cualquiera hombre de talento que sobresalga en un género tan difícil.[60]

D. ELEUTERIO. Todo eso va bien; pero lo cierto es que el sujeto tendrá que contentarse con sus quince doblones que le darán los cómicos (si la comedia gusta), y muchas gracias.[61]

D. ANTONIO. ¿Quince? Pues yo creí que eran veinte y cinco.

D. ELEUTERIO. No, señor; ahora, en tiempo de calor, no se da más.[62] Si fuera por el invierno, entonces...

D. ANTONIO. ¡Calle! ¿Conque empezando a helar valen más las comedias? Lo mismo sucede con los besugos.

(D. Antonio se pasea. D. Eleuterio unas veces le dirige la palabra y otras se acerca hacia D. Pedro, que no le contesta ni le mira. Vuelve a hablar con D. Antonio, parándose o siguiéndole, lo cual formará juego de teatro.)

D. ELEUTERIO. Pues mire usted, aun con ser tan poco lo que dan, el autor se ajustaría de buena gana para hacer por el precio todas las funciones que necesitase la compañía; pero hay muchas envidias. Unos favorecen a éste, otros a aquél, y es menester una tecla para mantenerse en la gracia de los primeros vocales, que... ¡ya ya! Y luego, como son tantos a escribir y cada uno procura despachar su género, entran los empeños, las gratificaciones, las rebajas...[63] Ahora mismo acaba de llegar un estudiante gallego con unas alforjas llenas de piezas manuscritas: comedias, follas, zarzuelas, dramas, melodramas, loas, sainetes...[64]

trativa de policía. En la *Gaceta* se publicaban cada año los cuadros de cada compañía, pero el «autor» (empresario en términos modernos) podía poner en escena las obras que deseara y contratar obras nuevas con quien quisiera.

[60] La convicción de que el gobierno debía premiar a los creadores e intelectuales o científicos que sobresalieran en algún campo para estimular los avances en todos los terrenos es rasgo común a los ilustrados.

[61] *doblones*: 'moneda de oro equivalente a sesenta reales'.

[62] Era ésta una realidad sociológica y económicamente comprobada: durante la temporada de verano disminuía la asistencia al teatro, y aumentaba con el mal tiempo o la lluvia.

[63] Los pésimos autores, compitiendo por el mercado, se presentan más como mercachifles que como escritores profesionales. Pero el café no es el mercado.

[64] *follas*: 'mezcla de fragmentos de obras teatrales con música'; *melodrama*: 'diálogo acompañado de música'. Compárese Jovellanos: «tragedias, sainetes, follas, / autos, loas y zarzuelas».

¡Qué sé yo cuánta ensalada trae allí! Y anda solicitando que los cómicos le compren todo el surtido, y da cada obra a trescientos reales, una con otra. ¡Ya se ve! ¿Quién ha de poder competir con un hombre que trabaja tan barato?

D. ANTONIO. Es verdad, amigo. Ese estudiante gallego hará malísima obra a los autores de la corte.

D. ELEUTERIO. Malísima. Ya ve usted cómo están los comestibles.

D. ANTONIO. Cierto.

D. ELEUTERIO. Lo que cuesta un mal vestido que uno se haga.

D. ANTONIO. En efecto.

D. ELEUTERIO. El cuarto.

D. ANTONIO. ¡Oh, sí, el cuarto! Los caseros son crueles.

D. ELEUTERIO. Y si hay familia.

D. ANTONIO. No hay duda; si hay familia es cosa terrible.

D. ELEUTERIO. Vaya usted a competir con el otro tuno, que con seis cuartos de callos y medio pan tiene el gasto hecho.[65]

D. ANTONIO. ¿Y qué remedio? Ahí no hay más sino arrimar el hombro al trabajo: escribir buenas piezas, darlas muy baratas, que se representen, que aturdan al público, y ver si se puede dar con el gallego en tierra. Bien que la de esta tarde es excelente, y para mí tengo que...

D. ELEUTERIO. ¿La ha leído usted?

D. ANTONIO. No, por cierto.

D. PEDRO. ¿La han impreso?

D. ELEUTERIO. Sí, señor. ¿Pues no se había de imprimir?[66]

D. PEDRO. Mal hecho. Mientras no sufra el examen del público en el teatro, está muy expuesta y, sobre todo, es demasiada confianza en un autor novel.[67]

---

[65] El *cuarto* equivalía a cuatro maravedís, y el *real*, a ocho cuartos y medio.

[66] Recuérdese el epigrama que escribió Moratín: «—Cayó a silbidos mi *Filomena*. / —Solemne tunda llevaste ayer. / —Cuando se imprima verán que es buena. / —¿Y qué cristiano la ha de leer?». D. Diego, en *El sí de las niñas*, I, 3, comenta con cierto desdén: «Sí, pues ya se ve. Todo se imprime». Las relaciones de Moratín y sus amigos con el mundo de la censura de imprentas los ponía sin duda en situación inmejorable para conocer esa realidad.

[67] A pesar de lo que aquí se afirma tajantemente, el autor publicó *El sí de las niñas* antes de su representación. La razón de Moratín fue tal vez allanar las posibles dificultades mediante una dedicatoria al Príncipe de la Paz; además, no era «autor novel».

D. ANTONIO. ¡Qué! No, señor. Si le digo a usted que es cosa muy buena. ¿Y dónde se vende?

D. ELEUTERIO. Se vende en los puesto del *Diario*, en la librería de Pérez, en la de Izquierdo, en la de Gil, en la de Zurita, y en el puesto de los cobradores a la entrada del coliseo. Se vende también en la tienda de vinos de la calle del Pez, en la del herbolario de la calle Ancha, en la jabonería de la calle del Lobo, en la...[68]

D. PEDRO. ¿Se acabará esta tarde esa relación?

D. ELEUTERIO. Como el señor preguntaba.

D. PEDRO. Pero no preguntaba tanto. ¡Si no hay paciencia!

D. ANTONIO. Pues la he de comprar, no tiene remedio.

PIPÍ. Si yo tuviera dos reales, ¡voto va!

D. ELEUTERIO. Véala usted aquí. (*Saca una comedia impresa y se la da a D. Antonio.*)

D. ANTONIO. ¡Oiga! Es ésta. A ver. Y ha puesto su nombre. Bien, así me gusta; con eso la posteridad no se andará dando de calabazadas por averiguar la gracia del autor.[69] (*Lee D. Antonio.*) «*Por D. Eleuterio Crispín de Andorra...*[70] *Salen el emperador Leopoldo, el rey de Polonia y Federico, senescal, vestidos de gala, con acompañamiento de damas y magnates y una brigada de húsares a caballo.*» ¡Soberbia entrada![71] Y dice el emperador:

Ya sabéis, vasallos míos,
que habrá dos meses y medio
que el turco puso a Viena

[68] La calle del Lobo es la actual de Echegaray, en Madrid. La misma calle aparece en *El sí de las niñas*, II, 14, donde se da la dirección exacta de D.ª Paquita.

Era frecuente que las obras impresas, incluso grabados, se vendiesen en tales lugares (Nipho y aun Goya lo hicieron), pero quizá Moratín ha pretendido subrayar el carácter plebeyo de *El gran cerco de Viena* y de su autor.

[69] *calabazadas*: 'golpes en la cabeza', metafóricamente; *gracia*: 'nombre'.

[70] El pretencioso nombre completo del autor alude irónicamente y refleja cierta falta de aprecio por la propia clase social de que procede.

[71] «Otras entradas mucho más soberbias que la de *El gran cerco de Viena* pudieran sorprenderle; y es necesario convenir en que D. Eleuterio, como poeta principiante, imitó con excesiva timidez los grandes originales que tuvo a la vista» (*Nota de Moratín*). Tales, por ejemplo, los de *Catalina II, emperatriz de Rusia*, de Comella, *Triunfos de valor y ardid, o Carlos XII, rey de Suecia*, de Zavala y Zamora, o *El católico Recaredo*, de Valladares de Sotomayor.

Algún crítico ha visto aquí imitación de la lectura de un soneto por el Oronte molieresco.

con sus tropas el asedio,
y que para resistirle
unimos nuestros denuedos,
dando nuestros nobles bríos
en repetidos encuentros
las pruebas más relevantes
de nuestros invictos pechos.

¡Qué estilo tiene! ¡Cáspita! ¡Qué bien pone la pluma el pícaro!

Bien conozco que la falta
del necesario alimento
ha sido tal que, rendidos
de la hambre a los esfuerzos,
hemos comido ratones,
sapos y sucios insectos.[72]

D. ELEUTERIO. ¿Qué tal? ¿No le parece a usted bien? (*Hablando a D. Pedro.*)

D. PEDRO. ¿Eh, a mí, qué...?

D. ELEUTERIO. Me alegro que le guste a usted. Pero no, donde hay un paso muy fuerte es al principio del segundo acto. Búsquele usted... ahí... por ahí ha de estar. Cuando la dama se cae muerta de hambre.

D. ANTONIO. ¿Muerta?

D. ELEUTERIO. Sí señor, muerta.

D. ANTONIO. ¡Qué situación tan cómica![73] ¿Y estas exclamaciones que hace aquí contra quién son?

D. ELEUTERIO. Contra el visir, que la tuvo seis días sin comer porque ella no quería ser su concubina.

[72] Añade la edición de 1792: «Estos insectos sucios serán regularmente arañas, polillas, moscones, correderas. D. ELEUTERIO. Sí, señor. / D. ANTONIO. ¡Estupendo potaje para un ventorrillo de Cataluña!». Muerto Comella desde hacía varios años, carecía de sentido aludir a su verdadera patria; además, Moratín mostraría siempre un hondo agradecimiento a la tierra que le acogió en momentos muy delicados de su vida.

«La tragedia de *Numancia destruida* [de López de Ayala] dio motivo a muy malas copias. Muchos poetas se atropellaron a describir los horrores de una plaza sitiada y sin víveres, en monstruosos dramas que llamaron comedias, haciéndolo con tan ridículas ideas y en tan ruin estilo que no hay más que pedir en el género trivial, arrastrado y mezquino» (*Nota de Moratín*).

[73] Juego con un doble sentido: por antífrasis, no hace reír; tampoco es propia de la comedia.

D. ANTONIO. ¡Pobrecita! ¡Ya se ve! El visir sería un bruto.

D. ELEUTERIO. Sí, señor.

D. ANTONIO. Hombre arrebatado, ¿eh?

D. ELEUTERIO. Sí, señor.

D. ANTONIO. Lascivo como un mico, feote de cara, ¿es verdad?

D. ELEUTERIO. Cierto.

D. ANTONIO. Alto, moreno, un poco bizco, grandes bigotes.

D. ELEUTERIO. Sí señor, sí. Lo mismo me lo he figurado yo.

D. ANTONIO. ¡Enorme animal! Pues no, la dama no se muerde la lengua. ¡No es cosa cómo le pone! Oiga usted, D. Pedro.

D. PEDRO. No, por Dios; no lo lea usted.

D. ELEUTERIO. Es que es uno de los pedazos más terribles de la comedia.

D. PEDRO. Con todo eso.[74]

D. ELEUTERIO. Lleno de fuego.

D. PEDRO. Ya.

D. ELEUTERIO. Buena versificación.

D. PEDRO. No importa.

D. ELEUTERIO. Que alborotará en el teatro si la dama lo esfuerza.

D. PEDRO. Hombre, si he dicho ya que...

D. ANTONIO. Pero, a lo menos, el final del acto segundo es menester oírle. (*Lee D. Antonio y, al acabar, da la comedia a D. Eleuterio:*)

EMP. *Y en tanto que mis recelos...*
VISIR *Y mientras mis esperanzas...*
SENESC. *Y hasta que mis enemigos...*
EMP. *averiguo,...*
VISIR *logre,...*
SENESC. *caigan,...*
EMP. *rencores, dadme favor...*
VISIR *no me dejes, tolerancia,...*
SENESC. *denuedo, asiste a mi brazo...*
TODOS *para que admire la patria*

[74] Añade la edición de 1792 la siguiente acotación: «(*D. Pedro manifestará mucha impaciencia en todo este pasaje*)». Probablemente Moratín la consideró innecesaria, pues el diálogo lo manifiesta por sí mismo.

el más generoso ardid
y la más tremenda hazaña.[75]

D. PEDRO. Vamos, no hay quien pueda sufrir tanto disparate. (*Se levanta impaciente, en ademán de irse.*)

D. ELEUTERIO. ¿Disparates los llama usted?

D. PEDRO. ¿Pues no? (*D. Antonio observa a los dos y se ríe.*)

D. ELEUTERIO. ¡Vaya, que es también demasiado! ¡Disparates! Pues no, no los llaman disparates los hombres inteligentes que han leído la comedia. Cierto que me ha chocado. ¡Disparates! Y no se ve otra cosa en el teatro todos los días, y siempre gusta, y siempre lo aplauden a rabiar.

D. PEDRO. ¿Y esto se representa en una nación culta?[76]

D. ELEUTERIO. ¡Cuenta que me ha dejado contento la expresión! ¡Disparates!

D. PEDRO. ¿Y esto se imprime, para que los extranjeros se burlen de nosotros?

D. ELEUTERIO. ¡Llamar disparates a una especie de coro entre el emperador, el visir y el senescal! Yo no sé qué quieren estas gentes. Si hoy día no se puede escribir nada, nada que no se muerda y se censure. ¡Disparates! ¡Cuidado que...!

PIPÍ. No haga usted caso.

D. ELEUTERIO. (*Hablando con Pipí hasta el fin de la escena.*)[77] Yo no hago caso, pero me enfada que hablen así. Figúrate tú si la conclusión puede ser más natural ni más ingeniosa. El emperador está lleno de miedo por un papel que se ha encontrado en el suelo sin firma ni sobrescrito en que se trata de matarle. El

[75] «Este diálogo entre dos o tres personajes, que hablan y se interrumpen alternativamente, concluyendo todos con una expresión que viene bien al concepto de cada uno de ellos, era el golpe más brillante con que se daba fin a las jornadas, o se adornaban los lances de mayor interés ... en *La comedia nueva* se censuraron los errores comunes del teatro, y no los particulares de uno u otro escritor» (*Nota de Moratín*). Y cita como ilustración algunos ejemplos tomados de *Hernán Cortes en Tabasco*, de Fermín del Rey, *El sol de España en su oriente y toledano Moisés*, de Fermín de Laviano, *La mayor piedad de Leopoldo el Grande*, de Zavala y Zamora, *Las vivanderas ilustres*, de Valladares de Sotomayor, y *Lograr el mayor imperio por un feliz desengaño*, de Luis Moncín.

[76] Algo parecido había escrito Clavijo y Fajardo, *El Pensador*, IX: «¿En dónde estamos? (decía). ¿Qué barbaridad es ésta? ¿Tanta ignorancia encierra este pueblo? ¿Y esto se aplaude? ¿Y esto se celebra?».

[77] Se ha llamado la atención sobre el efecto cómico que resulta de que D. Eleuterio se dirija precisamente a Pipí —el personaje más ignorante e inculto de la obra— para justificarse frente a la acusación de haber escrito disparates.

visir está rabiando por gozar de la hermosura de Margarita, hija del conde de Strambangaum, que es el traidor...[78]

PIPÍ. ¡Calle! ¡Hay traidor también! ¡Cómo me gustan a mí las comedias en que hay traidor!

D. ELEUTERIO. Pues, como digo, el visir está loco de amores por ella; el senescal, que es hombre de bien si los hay, no las tiene todas consigo porque sabe que el conde anda tras de quitarle el empleo y continuamente lleva chismes al emperador contra él; de modo que como cada uno de estos tres personajes está ocupado en su asunto, habla de ello, y no hay cosa más natural. (*Saca la comedia y lee*:)

Y en tanto que mis recelos...
y mientras mis esperanzas...
y hasta que mis...

¡Ah! Señor D. Hermógenes, a qué buena ocasión llega usted. (*Guarda la comedia, encaminándose a D. Hermógenes, que sale por la puerta del foro.*)

ESCENA IV [79]

D. HERMÓGENES, D. ELEUTERIO,
D. ANTONIO, D. PEDRO, PIPÍ

D. HERMÓGENES [80]. Buenas tardes, señores.

D. PEDRO. A la orden de usted. (*D. Pedro se acerca a la mesa en que está el diario; lee para sí y a veces presta atención a lo que hablan los demás.*)

[78] El lenguaje vulgar de D. Eleuterio para hablar de sus personajes —de alta categoría social— refleja el de las obras de Comella, de las que es buen ejemplo *Pedro el Grande, zar de Rusia*. De ese modo se intenta atraer la simpatía del vulgo hacia los protagonistas poniéndolos, al menos lingüísticamente, a su nivel.

[79] Se ha señalado cierto parentesco entre esta escena y Molière.

[80] La crítica, desde época muy temprana, ha identificado la figura de D. Hermógenes con Cristóbal Cladera, canónigo mallorquín que utilizó el seudónimo de Fulgencio de Soto y publicó algunas críticas contra Moratín. Éste, sin embargo, insistió en que no había tenido un solo modelo real. La sociedad de la época, ciertamente, ofrecía numerosos ejemplares semejantes: gente con algunos estudios, desprovistos de un empleo fijo, pretendientes a puestos en la administración o en casas de notables de alcurnia, zumbando alrededor de revistas periódicas, tertu-

D. ANTONIO. Felicísimas,[81] amigo D. Hermógenes.

D. ELEUTERIO. Digo, me parece que el señor D. Hermógenes será juez muy abonado para decidir la cuestión que se trata; todo el mundo sabe su instrucción y lo que ha trabajado en los papeles periódicos,[82] las traducciones que ha hecho del francés, sus actos literarios y, sobre todo, la escrupulosidad y el rigor con que censura las obras ajenas.[83] Pues yo quiero que nos diga...

D. HERMÓGENES. Usted me confunde con elogios que no merezco, señor D. Eleuterio. Usted solo es acreedor a toda alabanza por haber llegado en su edad juvenil al pináculo del saber. Su ingenio de usted, el más ameno de nuestros días, su profunda erudición, su delicado gusto en el arte rítmica, su...[84]

D. ELEUTERIO. Vaya, dejemos eso.

D. HERMÓGENES. Su docilidad, su moderación...

D. ELEUTERIO. Bien, pero aquí se trata solamente de saber si...

D. HERMÓGENES. Estas prendas sí que merecen admiración y encomio.

D. ELEUTERIO. Ya, eso sí; pero díganos usted lisa y llanamente si la comedia que hoy se representa es disparatada o no.

D. HERMÓGENES. ¿Disparatada? ¿Y quién ha prorrumpido en un aserto tan...?

D. ELEUTERIO. Eso no hace al caso. Díganos usted lo que le parece, y nada más.

lias en plena degradación y mentideros donde ostentar lo mucho que ignoraban y ocultar lo mal que sobrevivían. En él confluyen, asimismo, aspectos de diferentes personajes de Molière.

81 Modo poco usual de responder al «Buenas tardes»; más normal hubiera sido decir «Buenas», «Muy buenas» o algo semejante. Sin embargo, el tono irónico de D. Antonio hace suponer que en su fuero interno ya intuye lo que se avecina con la presencia del pedante.

82 Se refiere aquí indiscriminadamente a las posibles colaboraciones —o tal vez a las cartas enviadas al editor o editores— en revistas o diarios. Recuérdese que es en el siglo XVIII cuando aparece y se desarrolla el periodismo en España, con aportaciones como el *Diario de los Literatos* o los incontables intentos de Nipho, *El Pensador*, *El Censor*, etc.

83 No se menciona ni se alude a la edad de D. Hermógenes. Pudiera tener entre veinticinco y treinta años, como los pedantes a quienes Cadalso, *Eruditos*, «Lunes», llama irónicamente «profundísimos doctores» que deben meterse «a críticos de bote y voleo».

84 Parece imitar a Cadalso, *Suplemento a Eruditos*: «Los sujetos que forman la sociedad literaria que me va a impugnar son personas en quienes contemplo y reverencio el más maduro juicio, la más profunda erudición, la más amena literatura y la más acreditada imparcialidad». Por *arte rítmica* entiende el conocimiento de la poesía vulgar.

D. HERMÓGENES. Sí diré; pero antes de todo conviene saber que el poema dramático admite dos géneros de fábula. *Sunt autem fabulae, aliae simplices, aliae implexae*. Es doctrina de Aristóteles. Pero lo diré en griego para mayor claridad. *Eisi de ton mython oi men aploi oi de peplegmenoi. Cai gar ai praxeis...*[85]

D. ELEUTERIO. Hombre, pero si...

D. ANTONIO. Yo reviento. (*Siéntase haciendo esfuerzos para contener la risa.*)

D. HERMÓGENES. *Cai gar ai praxeis on mimeseis oi...*

D. ELEUTERIO. Pero...

D. HERMÓGENES. *...mythoi eisin iparjousin.*

D. ELEUTERIO. Pero si no es eso lo que a usted se le pregunta.

D. HERMÓGENES. Ya estoy en la cuestión. Bien que, para la mejor inteligencia, convendría explicar lo que los críticos entienden por prótasis, epítasis, catástasis, catástrofe, peripecia, agnición o anagnórisis:[86] partes necesarias a toda buena comedia y que según Escalígero, Vossio, Dacier, Marmontel, Castelvetro y Daniel Heinsio...[87]

D. ELEUTERIO. Bien, todo eso es admirable, pero...

D. PEDRO. Este hombre es loco.

D. HERMÓGENES. Si consideramos el origen del teatro, hallaremos que los megareos, los sículos y los atenienses...[88]

[85] El párrafo completo que D. Hermógenes cita en griego, proveniente de Aristóteles, *Poética*, 10, viene a decir; «De las fábulas, unas son simples y otras complejas; y es que también las acciones a las cuales imitan son de suyo tales». La doctrina es aristotélica, pero no hay que olvidar que Luzán, en *Poética*, III, 6, la había difundido de nuevo en el XVIII. Aconsejaba Cadalso, *Eruditos*, «Martes», que los aspirantes a eruditos gastaran el tiempo en llenarse «esas bien peinadas cabezas de párrafos de aquí y de allí, pedazos de éstos y de aquéllos, y de mucha vanidad sobre todo», y más adelante: «Exclamad aquí de paso contra los plagiarios, apretando mucho sobre la voz *plagiato*, que es griega por los cuatro costados».

[86] *prótasis*: 'exposición'; *epítasis*: 'enredo, nudo'; *catástasis*: 'punto culminante'; *catástrofe*: 'desenlace'; *peripecia*: 'mudanza repentina'; *agnición o anagnórisis*: 'reconocimiento de una persona cuya calidad o identidad se ignoraba'. Son términos corrientes y muy frecuentes en los preceptistas desde el Renacimiento; se ataca el uso de voces exóticas que el propio Moratín no se negaría a utilizar.

[87] El común denominador de todos estos autores, en un abanico temporal que va del siglo XVI al XVIII, es haber compuesto obras sobre poética o comentarios a las poéticas clásicas. A excepción de Marmontel, todos vienen citados en *Poética* de Luzán.

[88] *megareos*; 'habitantes de Megara', aunque Cadalso utiliza la forma 'megarios'; *sículos*: 'sicilianos'.

D. ELEUTERIO. D. Hermógenes, por amor de Dios, si no...

D. HERMÓGENES. Véanse los dramas griegos, y hallaremos que Anaxippo, Anaxándrides, Eúpolis, Antífanes, Filípides, Cratino, Crates, Epicrates, Menecrates y Ferecrates...[89]

D. ELEUTERIO. Si le he dicho a usted que...

D. HERMÓGENES. Y los más celebérrimos dramaturgos de la edad pretérita, todos, todos convinieron, *nemine discrepante*,[90] en que la prótasis debe preceder a la catástrofe necesariamente.[91] Es así que la comedia del *Cerco de Viena*...[92]

D. PEDRO. Adiós, señores. (*Se encamina hacia la puerta. D. Antonio se levanta y procura detenerle.*)

D. ANTONIO. ¿Se va usted, D. Pedro?

D. PEDRO. ¿Pues quién sino usted tendrá frescura para oír eso?

D. ANTONIO. Pero si el amigo D. Hermógenes nos va a probar, con la autoridad de Hipócrates y Martín Lutero,[93] que la pieza consabida, lejos de ser un desatino...

D. HERMÓGENES. Ése es mi intento: probar que es un acéfalo insipiente[94] cualquiera que haya dicho que la tal comedia contiene irregularidades absurdas; y yo aseguro que delante de mí ninguno se hubiera atrevido a propalar tal aserción.

D. PEDRO. Pues yo delante de usted la propalo, y le digo que por lo que el señor ha leído de ella y por ser usted el que la abona, infiero que ha de ser cosa detestable; que su autor será un hombre sin principios ni talento, y que usted es un erudito

[89] Relación, con cierta eufonía cómica, de dramaturgos griegos pertenecientes a los tres períodos de la comedia en la antigua Grecia. Todos ellos aparecen citados por Vossio. «Quedaos en la memoria con los nombres de aquellos que sean más raros en la pronunciación», recomendaba Cadalso en *Eruditos*, y sugería citar «a Eurípides, Sófocles, Séneca, Terencio y Plauto», ofreciendo una larga lista de filósofos antiguos.

[90] 'sin que nadie discrepe, por unanimidad'; también Cadalso, *Eruditos*, «Domingo», escribe: «y tendréis los votos todos, *nullo discrepante*».

[91] En otras palabras, todo el discurso conduce a una afirmación tan elemental como ésta: la exposición debe preceder al desenlace.

[92] Nótese que D. Hermógenes parece no conocer siquiera el título exacto de la obra de D. Eleuterio.

[93] Al mezclar esos dos nombres, que no tienen ninguna relación con lo que se está tratando, D. Antonio lleva al absurdo la argumentación de «autoridades» que utiliza D. Hermógenes.

[94] *acéfalo*: 'falto de cabeza'; *insipiente*: 'falto de sabiduría, ciencia o juicio'. La yuxtaposición es redundancia o sinsentido.

a la violeta,[95] presumido y fastidioso hasta no más. Adiós, señores. (*Hace que se va, y vuelve.*)

D. ELEUTERIO. Pues a este caballero (*señalando a D. Antonio*) le ha parecido muy bien lo que ha visto de ella.

D. PEDRO. A ese caballero le ha parecido muy mal; pero es hombre de buen humor y gusta de divertirse. A mí me lastima en verdad la suerte de estos escritores que entontecen al vulgo con obras tan desatinadas y monstruosas, dictadas, más que por el ingenio, por la necesidad o la presunción.[96] Yo no conozco al autor de esa comedia, ni sé quién es; pero si ustedes, como parece, son amigos suyos, díganle en caridad que se deje de escribir tales desvaríos; que aún está a tiempo, puesto que es la primera obra que publica; que no le engañe el mal ejemplo de los que deliran a destajo; que siga otra carrera en que, por medio de un trabajo honesto, podrá socorrer sus necesidades y asistir a su familia, si la tiene. Díganle ustedes que el teatro español tiene de sobra autorcillos chanflones que le abastezcan de mamarrachos;[97] que lo que necesita es una reforma fundamental en todas sus partes; y que mientras ésta no se verifique, los buenos ingenios que tiene la nación o no harán nada, o harán lo que únicamente baste para manifestar que saben escribir con acierto, y que no quieren escribir.[98]

[95] Los define Cadalso, *Eruditos*, «Advertencia», como «ineptos que fundan su pretensión en cierto aparato artificioso de literatura», y los critica con el fin «de que los ignorantes no los confundan con los verdaderos sabios, en desprecio y atraso de las ciencias, atribuyendo a la esencia de una facultad las ridículas ideas que dan de ella los que pretenden poseerla, cuando apenas han saludado sus principios». *Los eruditos a la violeta*, de Cadalso, publicada en 1772, fue reimpresa en 1786 y 1790.

[96] Compárese Clavijo y Fajardo, *El Pensador*, IX: «Y luego vendrán los poetas que tienen por asiento el abastecer al público de necedades y de barbarie a decirnos que componen malas comedias porque el pueblo tiene el gusto estragado. ¡Bárbaros! No es el pueblo quien tiene la culpa: es vuestra ignorancia, vuestra pereza, vuestra falta de gusto y de instrucción»; La Bruyère había descrito a un individuo semejante.

[97] *chanflones*: 'malformados, sin pulidez ni arte'; *mamarrachos*: 'obras mal hechas, ridículas y extravagantes'.

[98] Ésta y otras afirmaciones explícitas en boca de D. Pedro en pro de la reforma y su tono discursivo hicieron que Menéndez Pelayo lo considerase el personaje más antipático de la obra. Recuérdense los versos de Moratín: «¿yo he de escribir? No. Primero / que tal precepto obedezca, / Guerrero y Casal me alaben / y a malos sonetos muera».

D. HERMÓGENES. Bien dice Séneca en su epístola diez y ocho que...[99]

D. PEDRO. Séneca dice en todas sus epístolas que usted es un pedantón ridículo a quien yo no puedo aguantar. Adiós, señores.

ESCENA V

D. ANTONIO, D. ELEUTERIO, D. HERMÓGENES, PIPÍ

D. HERMÓGENES. ¡Yo pedantón! (*Encarándose hacia la puerta por donde se fue D. Pedro. D. Eleuterio se pasea inquieto.*) ¡Yo, que he compuesto siete prolusiones grecolatinas sobre los puntos más delicados del derecho![100]

D. ELEUTERIO. ¡Lo que él entenderá de comedias cuando dice que la conclusión del segundo acto es mala!

D. HERMÓGENES. Él será el pedantón.

D. ELEUTERIO. ¡Hablar así de una pieza que ha de durar lo menos quince días![101] Y si empieza a llover...

D. HERMÓGENES. Yo estoy graduado en Leyes, y soy opositor a cátedras,[102] y soy académico, y no he querido ser dómine de Pioz.[103]

[99] En la epístola XVIII de su *De institutione vitae, ad Lucilium Balbum*, escribe Séneca: «Sí, mi querido Lucilio, una cólera excesiva conduce al delirio; hay que evitarla no tanto por moderación como por salvar la cordura».

[100] *prolusiones*: 'prólogos'.

[101] Recuérdese que *La comedia nueva* permaneció seis días en cartel y *El sí de las niñas*, el mayor éxito de la temporada, alcanzó los veintiséis. Muchas obras de Calderón, Lope, Tirso o Alarcón no duraban más de uno o dos días. Los quince a que aspira D. Eleuterio serían todo un triunfo.

[102] «opositor a prebendas» es expresión que utiliza D. Luis en *La mojigata*, I, 1, para aludir despectivamente a cierto estudiante andaluz que malvive y presta libros nocivos a Clara.

[103] «La villa de Pioz está situada tres leguas al oriente de Alcalá de Henares. Hasta pocos años ha hubo en ella una cátedra de latinidad, célebre en toda aquella tierra y muy frecuentada de discípulos. La regentaba siempre algún eclesiástico virtuoso y erudito ... Los que han creído que, por hacerse mención de esta escuela en boca de D. Hermógenes, pensó el autor en satirizarla, no lo entienden» (*Nota de Moratín*). En sus desplazamientos a Pastrana, donde llegaría a adquirir una finquita, alguna vez se acercó Moratín a Pioz, como atestigua su *Diario*.

D. ANTONIO. Nadie pone en duda el mérito de usted, señor D. Hermógenes, nadie; pero esto ya se acabó, y no es cosa de acalorarse.

D. ELEUTERIO. Pues la comedia ha de gustar, mal que le pese.

D. ANTONIO. Sí señor, gustará. Voy a ver si le alcanzo y, *velis nolis*,[104] he de hacer que la vea para castigarle.

D. ELEUTERIO. Buen pensamiento; sí, vaya usted.

D. ANTONIO. En mi vida he visto locos más locos.

ESCENA VI

D. HERMÓGENES, D. ELEUTERIO, PIPÍ

D. ELEUTERIO. ¡Llamar detestable a la comedia! ¡Vaya, que estos hombres gastan un lenguaje que da gozo oírle!

D. HERMÓGENES. *Aquila non capit muscas*,[105] D. Eleuterio. Quiero decir que no haga usted caso. A la sombra del mérito crece la envidia. A mí me sucede lo mismo. Ya ve usted si yo sé algo...[106]

D. ELEUTERIO. ¡Oh!

D. HERMÓGENES. Digo, me parece que (sin vanidad) pocos habrá que...

D. ELEUTERIO. Ninguno. Vamos, tan completo como usted, ninguno.

D. HERMÓGENES. Que reúnan el ingenio a la erudición, la aplicación al gusto, del modo que yo (sin alabarme) he llegado a reunirlos. ¿Eh?

D. ELEUTERIO. Vaya, de eso no hay que hablar; es más claro que el sol que nos alumbra.

D. HERMÓGENES. Pues bien. A pesar de eso, hay quien me llama pedante, y casquivano, y animal cuadrúpedo. Ayer, sin ir

104 'quieras que no'.

105 'El águila no caza moscas', frase proverbial latina.

106 Escribe Cadalso, *Eruditos*, «Lunes»: «Las ciencias no han de servir más que para lucir en los estrados, paseos, lunetas de las comedias, tertulias, antesalas de poderosos y cafés, y para ensobercernos, llenarnos de orgullo, hacernos intratables e infundirnos un sumo desprecio para con todos los que no nos admiren».

más lejos, me lo dijeron en la Puerta del Sol,[107] delante de cuarenta o cincuenta personas.

D. ELEUTERIO. ¡Picardía! ¿Y usted qué hizo?

D. HERMÓGENES. Lo que debe hacer un gran filósofo.[108] Callé, tomé un polvo,[109] y me fui a oír una misa a la Soledad.[110]

D. ELEUTERIO. Envidia todo, envidia. ¿Vamos arriba?

D. HERMÓGENES. Esto lo digo para que usted se anime, y le aseguro que los aplausos que... Pero, dígame usted, ¿ni siquiera una onza de oro le han querido adelantar a usted a cuenta de los quince doblones de la comedia?[111]

D. ELEUTERIO. Nada, ni un ochavo.[112] Ya sabe usted las dificultades que ha habido para que esa gente la reciba. Por último, hemos quedado en que no han de darme nada hasta ver si la pieza gusta o no.

D. HERMÓGENES. ¡Oh, corvas almas! Y precisamente en la ocasión más crítica para mí. Bien dice Tito Livio que cuando...[113]

[107] Se refiere al famoso mentidero madrileño, del que Vélez de Guevara decía que «salen las nuevas primero que los sucesos», y que Moratín también frecuentó. En las gradas del convento de San Felipe el Real, en la esquina de la calle Mayor y la Puerta del Sol, además de ponerse algunos libreros, se reunían gentes ociosas para comentar y chismorrear sobre todo lo divino y lo humano. Cadalso, *Eruditos*, «Viernes», recomendaba: «marcharos a beber un vaso de agua por un cuarto a la Puerta del Sol». Compárese Iriarte: «Si hay concurso en el café, / allí fijo como el alba; / y finalmente en la Puerta / del Sol, mi esquina arrendada» (*La señorita malcriada*, I, 3), dice D. Gonzalo, personaje algo tarambana, viudo y mal educador de su hija. También R. de la Cruz, *El café de Barcelona*, 4: «suele allí / hablar la gente indiscreta / mucho que no viene al caso».

[108] «Es indispensable que tengáis, llevéis, publiquéis, aparentéis y ostentéis un exterior filosófico» (Cadalso, *Eruditos*, «Miércoles»).

[109] Un polvo de rapé, es decir, de tabaco raspado, hábito al que alude Moratín en varios lugares de sus comedias. También Cadalso, *Eruditos*, «Miércoles», describe al pedante «tomando un polvo con pausa y profundidad en la caja de alguna señora».

[110] La capilla de Nuestra Señora de la Soledad se encontraba en la carrera de San Jerónimo. O tal vez se refiere al convento de la Victoria, donde se veneraba una imagen de la misma virgen y que Moratín frecuentó durante sus años de amistad con Estala y Navarrete.

[111] La conducta de D. Hermógenes, sonsacando dinero a D. Eleuterio y aceptando el compromiso matrimonial por las expectativas económicas, bordea los límites del delito. La vinculación del éxito y la riqueza consiguiente con la boda de Mariquita se debe al problema de la dote que debe aportar la mujer y que sólo puede salir de su responsable legal.

[112] 'moneda de Castilla que valía dos maravedíes o medio cuarto'.

[113] Es verdaderamente difícil averiguar exactamente en qué frase o pá-

D. ELEUTERIO. ¿Pues qué hay de nuevo?

D. HERMÓGENES. Ese bruto de mi casero... El hombre más ignorante que conozco. Por año y medio que le debo de alquiler, me pierde el respeto, me amenaza...

D. ELEUTERIO. No hay que afligirse. Mañana o esotro es regular que me den el dinero;[114] pagaremos a ese bribón, y si tiene usted algún pico en la hostería, también es...

D. HERMÓGENES. Sí, aún hay un piquillo. Cosa corta.

D. ELEUTERIO. Pues bien. Con la impresión, lo menos ganaré cuatro mil reales.

D. HERMÓGENES. Lo menos. Se vende toda seguramente.

(*Vase Pipí por la puerta del foro.*)

D. ELEUTERIO. Pues con ese dinero saldremos de apuros; se adornará el cuarto nuevo: unas sillas, una cama y algún otro chisme. Se casa usted. Mariquita, como usted sabe, es aplicada, hacendosilla y muy mujer; ustedes estarán en mi casa continuamente. Yo iré dando las otras cuatro comedias que, pegando la de hoy, las recibirán los cómicos con palio.[115] Pillo la moneda, las imprimo, se venden; entretanto, ya tendré algunas hechas y otras en el telar. Vaya, no hay que temer. Y, sobre todo, usted saldrá colocado de hoy a mañana: una intendencia, una toga, una embajada, ¡qué sé yo! Ello es que el ministro le estima a usted, ¿no es verdad?

D. HERMÓGENES. Tres visitas le hago cada día.

D. ELEUTERIO. Sí, apretarle, apretarle. Subamos arriba, que las mujeres ya estarán...

D. HERMÓGENES. Diez y siete memoriales le he entregado la semana última.[116]

D. ELEUTERIO. ¿Y qué dice?

D. HERMÓGENES. En uno de ellos puse por lema aquel cele-

rrafo puede estar pensando D. Hermógenes, y ningún editor se ha aventurado. Podría tratarse de *Ab urbe condita*, XXII, 8: «cuanto de adverso le sucediera a la ciudad enferma y débil debía juzgarse no por la importancia de las cosas, sino por la extenuación de las fuerzas que no podían soportar nada que las agravara». Tal vez ni siquiera piense de verdad en algún fragmento, y sólo quiera seguir luciendo nombres...

[114] *esotro*: 'ese otro', por pérdida del acento de intensidad en el demostrativo antepuesto. Moratín lo usa varias veces, en singular y plural, con *este* y *ese*.

[115] 'con gran deseo y satisfacción'.

[116] «proponed algún proyecto o a lo menos insinuad que lo estáis componiendo», aconseja Cadalso, *Eruditos*, «Viernes».

bérrimo dicho del poeta: *Pallida mors aequo pulsat pede pauperum tabernas regumque turres.*[117]

D. ELEUTERIO. ¿Y qué dijo cuando leyó eso de las tabernas?[118]

D. HERMÓGENES. Que bien, que ya está enterado de mi solicitud.[119]

D. ELEUTERIO. Pues no le digo a usted. Vamos, eso está conseguido.

D. HERMÓGENES. Mucho lo deseo para que a este consorcio apetecido acompañe el episodio de tener qué comer, puesto que *sine Cerere et Baccho friget Venus.*[120] Y entonces, ¡oh!, entonces... Con un buen empleo y la blanca mano de Mariquita, ninguna otra cosa me queda que apetecer sino que el cielo me conceda numerosa y masculina sucesión.

(*Vanse por la puerta del foro.*)

[117] Horacio, *Odas*, I, 4, 13-14. El mismo Moratín había traducido así estos versos: «La pálida muerte / pisa con pies iguales / chozas de humilde suerte / y palacios reales». Son los mismos versos que el amigo del autor del *Quijote* (I, «Prólogo») le aconseja utilizar para dárselas de letrado.

[118] Esta traducción vulgar y errónea, basada puramente en la eufonía de la palabra, no hace sino subrayar la ignorancia del poeta.

[119] Las palabras de D. Hermógenes no permiten aventurar que le espere una sólida y desahogada posición económica.

[120] «Sin Ceres ni Baco está fría Venus», es decir, 'sin pan y vino no hay amor fino'. Con Libero en lugar de Baco, aparece en Terencio, *Eunuco*, IV, 6. El dicho, también en Cervantes, *Persiles*, I, 5.

ACTO SEGUNDO

ESCENA I

D.ª AGUSTINA, D.ª MARIQUITA, D. SERAPIO,
D. HERMÓGENES, D. ELEUTERIO

Salen por la puerta del foro

D. SERAPIO. El trueque de los puñales, créame usted, es de lo mejor que se ha visto.

D. ELEUTERIO. ¿Y el sueño del emperador?

D.ª AGUSTINA. ¿Y la oración que hace el visir a sus ídolos?

D.ª MARIQUITA. Pero a mí me parece que no es regular que el emperador se durmiera precisamente en la ocasión más...

D. HERMÓGENES. Señora, el sueño es natural en el hombre, y no hay dificultad en que un emperador se duerma, porque los vapores húmedos que suben al cerebro...[1]

D.ª AGUSTINA. ¿Pero usted hace caso de ella? ¡Qué tontería! Si no sabe lo que se dice. Y a todo esto, ¿qué hora tenemos?

D. SERAPIO. Serán... Deje usted... Podrán ser ahora...

D. HERMÓGENES. Aquí está mi reloj, que es puntualísimo. Tres y media cabales.[2]

D.ª AGUSTINA. ¡Oh! Pues aún tenemos tiempo. Sentémonos, una vez que no hay gente.

(*Siéntanse todos menos D. Eleuterio.*)

D. SERAPIO. ¡Qué gente ha de haber! Si fuera en otro cualquier día... pero hoy todo el mundo va a la comedia.[3]

D.ª AGUSTINA. Estará lleno lleno.

[1] Concepto galénico del sueño. Galeno teorizó la vinculación entre las costumbres del alma y la temperatura del cuerpo. No debe olvidarse que el siglo XVIII contempla el enfrentamiento entre galénicos e hipocráticos, encarnando los últimos la defensa de la medicina experimental y, por tanto, moderna. Es un rasgo que acentúa lo inconexo del batiburrillo cultural de que hace gala D. Hermógenes.

[2] 'cumplidas, enteras y perfectas', aquí, 'en punto'.

[3] En consecuencia, puede asegurarse que la comedia tiene lugar un sábado o un domingo.

D. SERAPIO. Habrá hombre que dará esta tarde dos medallas por un asiento de luneta.[4]

D. ELEUTERIO. Ya se ve, comedia nueva, autor nuevo y...

D.ª AGUSTINA. Y que ya la habrán leído muchísimos y sabrán lo que es. Vaya, no cabrá un alfiler; aunque fuera el coliseo siete veces más grande.

D. SERAPIO. Hoy los chorizos se mueren de frío y de miedo.[5] Ayer noche apostaba yo al marido de la graciosa seis onzas de oro a que no tienen esta tarde en su corral cien reales de entrada.

D. ELEUTERIO. ¿Conque la apuesta se hizo en efecto, eh?

D. SERAPIO. No llegó el caso, porque yo no tenía en el bolsillo más que dos reales y unos cuartos... Pero ¡cómo los hice rabiar, y qué...!

D. ELEUTERIO. Soy con ustedes; voy aquí a la librería y vuelvo.

D.ª AGUSTINA. ¿A qué?

D. ELEUTERIO. ¿No te lo he dicho? Si encargué que me trajesen ahí la razón de lo que va vendido para que...

D.ª AGUSTINA. Sí, es verdad. Vuelve presto.

D. ELEUTERIO. Al instante.

ESCENA II

D.ª AGUSTINA, D.ª MARIQUITA, D. SERAPIO, D. HERMÓGENES

D.ª MARIQUITA. ¡Qué inquietud! ¡Qué ir y venir! No para este hombre.

D.ª AGUSTINA. Todo se necesita, hija; y si no fuera por su buena diligencia y lo que él ha minado y revuelto, se hubiera quedado con su comedia escrita y su trabajo perdido.

[4] *medallas*: 'doblón de a ocho u onza de oro, equivalente a 3.320 reales'; *luneta*: 'espacio del teatro con forma curvada y delante del escenario donde se encontraban las butacas, a diferencia del patio'.

[5] Los *chorizos* eran los apasionados de la compañía de Manuel Martínez y adversarios, en consecuencia, de los *polacos* o partidarios de la de Eusebio Ribera. Compárese Jovellanos: «Te dirá qué año, / qué ingenio, qué ocasión dio a los chorizos / eterno nombre; y cuántas cuchilladas, / dadas de día en día, tan pujantes, / sobre el triste polaco los mantiene». Véase la nota 26 del acto I. Téngase presente que era la compañía de Ribera la que representaba la obra.

D.ª MARIQUITA. ¿Y quién sabe lo que sucederá todavía, hermana? Lo cierto es que yo estoy en brasas; porque, vaya, si la silban yo no sé qué será de mí.

D.ª AGUSTINA. ¿Pero qué la han de silbar, ignorante? ¡Qué tonta eres y qué falta de comprensión!

D.ª MARIQUITA. Pues siempre me está usted diciendo eso. (*Sale Pipí por la puerta del foro con platos, botellas, etc. Lo deja todo en el mostrador y vuelve a irse por la misma parte.*) Vaya que algunas veces me... ¡Ay, D. Hermógenes! No sabe usted qué ganas tengo de ver estas cosas concluidas y poderme ir a comer un pedazo de pan con quietud a mi casa sin tener que sufrir sinrazones.[6]

D. HERMÓGENES. No el pedazo de pan, sino ese hermoso pedazo de cielo me tiene a mí impaciente hasta que se verifique el suspirado consorcio.

D.ª MARIQUITA. ¡Suspirado, sí, suspirado! ¡Quién le creyera a usted!

D. HERMÓGENES. ¿Pues quién ama tan de veras como yo, cuando ni Píramo, ni Marco Antonio, ni los Tolomeos egipcios, ni todos los Seléucidas de Asiria sintieron jamás un amor comparable al mío?[7]

D.ª AGUSTINA. ¡Discreta hipérbole! ¡Viva, viva! Respóndele, bruto.[8]

D.ª MARIQUITA. ¿Qué he de responder, señora, si no le he entendido una palabra?

D.ª AGUSTINA. ¡Me desespera!

D.ª MARIQUITA. Pues digo bien. ¿Qué sé yo quiénes son esas gentes de quien está hablando? Mire usted, para decirme: Mariquita, yo estoy deseando que nos casemos. Así que su hermano de usted coja esos cuartos, verá usted como todo se dispone; porque la quiero a usted mucho, y es usted muy guapa y mucha-

[6] El desmesurado afán de Mariquita por contraer matrimonio a pesar de su temprana edad, que más adelante le reprochará D. Pedro, queda aquí suficientemente explicado y justificado.

[7] Si la alusión a Píramo y Marco Antonio resulta clara y lógica (amantes apasionados, respectivamente, de Tisbe y Cleopatra), los Tolomeos «brillan» en la historia por sus relaciones y matrimonios incestuosos, en tanto que los Seléucidas no proporcionan ejemplos famosos de amantes rendidos. La mezcla realza la palabrería del personaje.

[8] En masculino por usar el sustantivo *bruto*, 'animal irracional', en vez del adjetivo *bruta*, 'necia, incapaz'.

cha, y tiene usted unos ojos muy peregrinos, y... ¿qué sé yo? Así. Las cosas que dicen los hombres.

D.ª AGUSTINA. Sí, los hombres ignorantes, que no tienen crianza ni talento, ni saben latín.

D.ª MARIQUITA. ¡Pues latín! ¡Maldito sea su latín! Cuando le pregunto cualquiera friolera, casi siempre me responde en latín, y para decir que se quiere casar conmigo me cita tantos autores...[9] Mire usted qué entenderán los autores de eso, ni qué les importará a ellos que nosotros nos casemos o no.

D.ª AGUSTINA. ¡Qué ignorancia! Vaya, D. Hermógenes, lo que le he dicho a usted. Es menester que usted se dedique a instruirla y descortezarla;[10] porque, la verdad, esa estupidez me avergüenza. Yo, bien sabe Dios que no he podido más; ya se ve, ocupada continuamente en ayudar a mi marido en sus obras, en corregírselas (como usted habrá visto muchas veces), en sugerirle ideas a fin de que salgan con la debida perfección, no he tenido tiempo para emprender su enseñanza. Por otra parte, es increíble lo que aquellas criaturas me molestan.[11] El uno que llora, el otro que quiere mamar, el otro que rompió la taza,[12] el otro que se cayó de la silla, me tienen continuamente afanada. Vaya, yo lo he dicho mil veces, para las mujeres instruidas es un tormento la fecundidad.

D.ª MARIQUITA. ¡Tormento! ¡Vaya, hermana, que usted es singular en todas sus cosas! Pues yo, si me caso, bien sabe Dios que...

D.ª AGUSTINA. Calla, majadera, que vas a decir un disparate.

D. HERMÓGENES. Yo la instruiré en las ciencias abstractas; la enseñaré la prosodia; haré que copie a ratos perdidos el *Arte magna* de Raimundo Lulio,[13] y que me recite de memoria todos

9 Recuerda la oposición, en *La Judith castellana*, de Comella, entre Elvira —de lenguaje y expresión rebuscadas— y Gonzalo, que afirma: «yo hablo siempre liso y llano, / y tú gastas unas frases...». Una actitud semejante se presenta en *El viejo celoso* de Cervantes.

10 'quitarle la rudeza y tosquedad', metafóricamente.

11 Algo parecido sentía Moratín, aunque de forma ambivalente, que había escrito: «Y en tanto los chiquillos, / canalla descreída, / me aturden con sus golpes, / llantos y chilladiza». Lo que en un hombre —intelectual y escritor, para más señas— era lógico aparece aquí como un factor de caracterización negativa en la mujer.

12 Decía la edición de 1972: «el otro que está puerco». Como alguna otra supresión, este cambio tiende a pulir lo que puede resultar poco fino.

13 Refiriéndose a Cladera, anotó cierto crítico que sus estudios, como todos los del país en que había nacido, consistían en poseer la doctrina de Raimundo Lulio.

los martes dos o tres hojas del diccionario de Rubiños.[14] Después aprenderá los logaritmos y algo de la estática; después...

D.ª MARIQUITA. Después me dará un tabardillo pintado[15] y me llevará Dios. ¡Se habrá visto tal empeño! No, señor; si soy ignorante, buen provecho me haga. Yo sé escribir y ajustar una cuenta, sé guisar, sé planchar, sé coser, sé zurcir, sé bordar, sé cuidar de una casa; yo cuidaré de la mía, y de mi marido, y de mis hijos, y yo me los criaré. Pues, señor, ¿no sé bastante?[16] ¡Que por fuerza he de ser doctora y marisabidilla, y que he de aprender la gramática, y que he de hacer coplas! ¿Para qué? ¿Para perder el juicio? Que permita Dios si no parece casa de locos la nuestra desde que mi hermano ha dado en esas manías. Siempre disputando marido y mujer sobre si la escena es larga o corta, siempre contando las letras por los dedos para saber si los versos están cabales o no, si el lance a oscuras ha de estar antes de la batalla o después del veneno, y manoteando continuamente *Gacetas* y *Mercurios*[17] para buscar nombres bien extravagantes,[18] que casi todos acaban en *of* y en *graf*, para rebutir con ellos sus relaciones...[19] Y entretanto, ni se barre el cuarto, ni la ropa se lava,

[14] Ildefonso López Rubiños publicó en 1754 una edición anotada y ampliada del *Vocabulario latino-español* de Nebrija. Para aprender teología, Cadalso, *Eruditos*, «Viernes», asegura que «bastará que tengáis unos cuantos diccionarios». El programa educativo de D. Hermógenes mezcla en incongruente amalgama elementos ilustrados con otros de sentido claramente retrógrado.

[15] *tabardillo pintado*: 'tifus exantemático', nombre vulgar para una forma del tifus con erupción en la piel. La actriz María Ignacia Ibáñez, amada de Cadalso, murió «de un tabardillo muy fuerte» (*Autobiografía*, «Regreso a Madrid»).

[16] Compárese Clavijo y Fajardo, *El Pensador*, XX: «¿Por qué no saben aplicarse a alguna labor útil? No digo yo que tomen la azada, el escoplo, el timón de un navío ni las armas. ¿Pero qué, no hay otras ocupaciones? ¿Han de venir los hombres a hacer las labores domésticas?». «No cose jamás, no aplancha, / no hace un punto de calceta, / no mueve un trasto, ni quiere / ocuparse en las faenas / propias de toda mujer», dice D. Luis en *La mojigata*, I, 1.

[17] *manoteando*: 'moviendo las manos', aquí 'hojeando'. El uso de *manotear* confiere mayor rusticidad a la acción del poeta y su esposa. La Academia de la Historia lo convirtió en *manoseando*.

[18] El párrafo recuerda a Molière, *Las mujeres sabias*, II, 7.

[19] En la *Gaceta de Madrid* y el *Mercurio de España*, con secciones dedicadas a la política internacional, aparecen frecuentemente nombres de diplomáticos y personalidades de sonoridad semejante. Sin embargo, la expresión podía constituir una locución estable para referirse a los periódicos en general. Cadalso, *Cartas*, XIV, dice,

ni las medias se cosen; y, lo que es peor, ni se come ni se cena. ¿Qué le parece a usted que comimos el domingo pasado, D. Serapio?

D. SERAPIO. Yo, señora, ¿cómo quiere usted que...?

D.ª MARIQUITA. Pues lléveme Dios si todo el banquete no se redujo a libra y media de pepinos,[20] bien amarillos y bien gordos, que compré a la puerta, y un pedazo de rosca que sobró del día anterior. Y éramos seis bocas a comer, que el más desganado se hubiera engullido un cabrito y media hornada sin levantarse del asiento.

D.ª AGUSTINA. Ésta es su canción. Siempre quejándose de que no come y trabaja mucho. Menos como yo y más trabajo en un rato que me ponga a corregir alguna escena, o arreglar la ilusión de una catástrofe, que tú cosiendo y fregando, u ocupada en otros ministerios viles y mecánicos.

D. HERMÓGENES. Sí, Mariquita, sí; en eso tiene razón mi señora D.ª Agustina. Hay gran diferencia de un trabajo a otro, y los experimentos cotidianos nos enseñan que toda mujer que es literata y sabe hacer versos *ipso facto* se halla exonerada de las obligaciones domésticas. Yo lo probé en una disertación que leí a la Academia de los Cinocéfalos.[21] Allí sostuve que los versos se confeccionan con la glándula pineal,[22] y los calzoncillos con los tres dedos llamados *pollex*, *index* e *infamis*;[23] que es decir que para lo primero se necesita toda la argucia del ingenio, cuando para lo segundo basta sólo la costumbre de la mano. Y concluí, a satisfacción de todo mi auditorio, que es más difícil hacer un soneto que pegar un hombrillo, y que más elogio merece la mujer

con ese sentido: «estuve leyendo gacetas y mercurios». Moratín relaciona algunos de los nombres utilizados en comedias de su tiempo: Druch, Apragin, Grothau, Patcul, Morosow, Mencicoff, Mollerdorff, Meknoff, Ramanuff, Mirowitz, Kultenoff, Fiedfel, Deiforf, Eschulemburg, etc.

[20] *libra*: 'peso equivalente en Castilla a 16 onzas o 460 gramos'.

[21] Los cinocéfalos son ciertos mamíferos cuadrumanos localizados en África. D. Hermógenes, obviamente, sólo podía pertenecer a una academia así. Parodia evidente de las academias como la de los Árcades, del mismo modo que Moratín y sus amigos fundaron la Academia de los Acalófilos.

[22] 'epítisis, órgano nervioso del encéfalo'.

[23] Dedos pulgar, índice y cordial o medio. D. Hermógenes usa para este último el adjetivo empleado por Persio, en clara alusión a ciertos usos poco nobles del dicho dedo, lo mismo que Marcial lo llama *impudicus*.

que sepa componer décimas y redondillas que la que sólo es buena para hacer un pisto con tomate, un ajo de pollo o un carnero verde.[24]

D.ª MARIQUITA. Aun por eso en mi casa no se gastan pistos, ni carneros verdes, ni pollos, ni ajos. Ya se ve: en comiendo versos no se necesita cocina.

D. HERMÓGENES. Bien está; sea lo que usted quiera, ídolo mío; pero si hasta ahora se ha padecido alguna estrechez (*angustam pauperiem*[25] que dijo el profano), de hoy en adelante será otra cosa.

D.ª MARIQUITA. ¿Y qué dice el profano? ¿Que no silbarán esta tarde la comedia?

D. HERMÓGENES. No, señora; la aplaudirán.

D. SERAPIO. Durará un mes, y los cómicos se cansarán de representarla.

D.ª MARIQUITA. No, pues no decían eso ayer los que encontramos en la botillería.[26] ¿Se acuerda usted, hermana? Y aquel más alto, a fe que no se mordía la lengua.

D. SERAPIO. ¿Alto? ¿Uno alto, eh? Ya le conozco. (*Levántase.*) ¡Picarón, vicioso! Uno de capa que tiene un chirlo en las narices.[27] ¡Bribón! Ése es un oficial de guarnicionero,[28] muy apasionado de la otra compañía. ¡Alborotador! Que él fue el que tuvo la culpa de que silbaran la comedia de *El monstruo más espantable del ponto de Calidonia*,[29] que la hizo un sastre, pariente de un vecino mío; pero yo le aseguro al...

[24] El *pisto* se hacía friendo pimientos, tomates y cebollas picados y revueltos (a lo que a veces se añade huevo y patatas); el *ajo de pollo* solía hacerse hirviendo patatas con una salsa de almendra, ñoras y ajos; el *carnero verde* se guisaba con perejil, ajos, tocino, pan, yemas de huevo y especias varias. Las recetas, como se sabe, varían de un lugar a otro.

[25] Horacio, *Odas* III, 2, 1: «estrecha pobreza».

[26] 'casa o tienda en que se hacían y servían sorbetes, bebidas heladas o refrescos'. Moratín las frecuentará a lo largo de su vida madrileña, donde alcanzó nombradía la de Canosa, en la carrera de San Jerónimo. Clavijo y Fajardo habla de la «erudición de botillería»; también Cadalso aconseja, a fin de aparentar distracción: «entrar en alguna botillería preguntando si tienen botas inglesas».

[27] *chirlo*: 'cicatriz'.

[28] 'el que hace o vende guarniciones (correajes) para caballerías'.

[29] El extravagante título de la comedia parece ficticio (al menos no se encuentra en catálogos de la producción dramática de la época), pero otros muy parecidos solían figurar en las carteleras de entonces, como *La esclava del Negro Ponto*, de Valladares, o *El hombre más feo del mundo, Esopo el fa-*

D.ª MARIQUITA. ¿Qué tonterías está usted ahí diciendo? Si no es ése de quien yo hablo.

D. SERAPIO. Sí, uno alto, mala traza, con una señal que le coge...

D.ª MARIQUITA. Si no es ése.

D. SERAPIO. ¡Mayor gatallón![30] ¡Y qué mala vida dio a su mujer! ¡Pobrecita! Lo mismo la trataba que a un perro.

D.ª MARIQUITA. Pero si no es ése, dale. ¿A qué viene cansarse? Éste era un caballero muy decente, que no tiene ni capa, ni chirlo, ni se parece en nada al que usted nos pinta.

D. SERAPIO. Ya, pero voy al decir. ¡Unas ganas tengo de pillar al tal guarnicionero! No irá esta tarde al patio, que si fuera... ¡eh!... Pero el otro día, ¡qué cosas le dijimos allí en la plazuela de San Juan![31] Empeñado en que la otra compañía es la mejor, y que no hay quien la tosa. ¿Y saben ustedes (*Vuelve a sentarse*) por qué es todo ello? Porque los domingos por la noche se van él y otros de su pelo a casa de la Ramírez,[32] y allí se están retozando en el recibimiento con la criada; después les saca un poco de queso, o unos pimientos en vinagre,[33] o así; y luego se van a palmotear como desesperados a las barandillas y al degolladero.[34] Pero no hay remedio; ya estamos prevenidos los apasionados de acá, y a la primera comedia que echen en el otro corral,

bulador. La alusión al poeta-sastre parece apuntar a Juan Salvó y Vela, autor de una de las comedias más taquilleras del siglo, *El mágico de Salerno, Pedro Vayalarde*. No debía de ser una compaginación de actividades muy infrecuente, pues Cervantes escribe, *Persiles*, I, 18, que «tan capaz es el alma del sastre para ser poeta como la de un maese de campo»; pues Villegas se refiere a otro poeta-sastre en su *Elegía* VII, y Torres Villarroel afirma en sus *Sueños*: «Las comedias ya no las hacen los poetas, sino los músicos, hortelanos y carpinteros».

30 'pillastrón'.

31 Plazuela a la que daba la casa en que nació Moratín, en la confluencia de las calles de Santa María y la actual de Moratín, relativamente cercana al llamado «mentidero de los representantes».

32 Es nombre ficticio. La escena, pese a ser inventada, responde a lo que se suponía debían ser ritos obligados tanto para el actor que no quisiera ser escarnecido como para el poeta que pretendiese colocar sus productos a las compañías de teatro. Moratín le dedicó —según se dice, con el mismo objetivo— un poema a la Tirana. El procedimiento era más digno, la finalidad, idéntica.

33 La referencia a los pimientos, elemento emblemático y plebeyo de los apasionados de la compañía rival, suscitó una enorme bronca en el estreno.

34 *barandillas*: 'separación entre los asientos de la primera fila de gradas y el patio'; *degolladero*: 'viga gruesa, a la altura del cuello, que separaba la parte trasera de la luneta del patio, donde los espectadores (los ruidosos mosqueteros) permanecían de pie'.

zas, sin remisión, a silbidos se ha de hundir la casa. A ver...

D.ª MARIQUITA. ¿Y si ellos nos ganasen por la mano, y hacen con la de hoy otro tanto?

D.ª AGUSTINA. Sí, te parecerá que tu hermano es lerdo, y que ha trabajado poco estos días para que no le suceda un chasco. Él se ha hecho ya amigo de los principales apasionados del otro corral,[35] ha estado con ellos, les ha recomendado la comedia y les ha prometido que la primera que componga será para su compañía. Además de eso, la dama de allá le quiere mucho; él va todos los días a su casa a ver si se la ofrece algo, y cualquiera cosa que allí ocurre nadie la hace sino mi marido. D. Eleuterio, tráigame usted un par de libras de manteca. D. Eleuterio, eche usted un poco de alpiste a ese canario. D. Eleuterio, dé usted una vuelta por la cocina y vea usted si empieza a espumar aquel puchero; y él, ya se ve, lo hace todo con una prontitud y un agrado que no hay más que pedir; porque, en fin, el que necesita es preciso que... Y, por otra parte, como él, bendito sea Dios, tiene tal gracia para cualquier cosa y es tan servicial con todo el mundo...[36] ¡Qué silbar! No, hija, no hay que temer; a buenas aldabas se ha agarrado él para que le silben.

D. HERMÓGENES. Y, sobre todo, el sobresaliente mérito del drama bastaría a imponer taciturnidad y admiración a la turba más desenfrenada e insipiente.

D.ª AGUSTINA. Pues ya se ve. Figúrese usted una comedia heroica como ésta, con más de nueve lances que tiene. Un desafío a caballo por el patio, tres batallas, dos tempestades, un entierro, una función de máscara, un incendio de ciudad, un puente roto, dos ejercicios de fuego y un ajusticiado; figúrese usted si esto ha de gustar precisamente.[37]

[35] El siglo anterior, un autor novel tuvo que pactar con un zapatero llamado Sánchez, caudillo de los mosqueteros, para que no le silbaran su comedia. Las cosas, en ese sentido, no habían cambiado demasiado.

[36] «Todo cuanto dice en este pasaje D.ª Agustina no es más que una ficción inverosímil, si bien la ignorancia y la malignidad aplicaron a determinados sujetos una pintura que, aunque imitaba la verdad, no era la verdad misma... Pero ¿cuál fue, en efecto, el poeta dramático, tan mañero y servicial, que se prestó a tales obsequios? Ninguno; pero suponiendo en muchos las mismas circunstancias que concurrían en el triste D. Eleuterio, es verisímil que muchos lo hiciesen, y eso basta para la imitación» (*Nota de Moratín*). No había sido ésa la opinión de Comella al presentar su memorial, pues aludió a este párrafo de una manera directa.

[37] El resumen que de la acción ofrece D.ª Agustina es muy parecido al de *El sitio de Calés*, de Comella.

D. SERAPIO. ¡Toma si gustará!

D. HERMÓGENES. Aturdirá.

D. SERAPIO. Se despoblará Madrid por ir a verla.

D.ª MARIQUITA. Y a mí me parece que unas comedias así debían representarse en la plaza de los toros.[38]

ESCENA III

D. ELEUTERIO, D.ª AGUSTINA, D.ª MARIQUITA, D. SERAPIO, D. HERMÓGENES

D.ª AGUSTINA. Y bien, ¿qué dice el librero? ¿Se despachan muchas?

D. ELEUTERIO. Hasta ahora...

D.ª AGUSTINA. Deja; me parece que voy a acertar: habrá vendido... ¿cuándo se pusieron los carteles?

D. ELEUTERIO. Ayer por la mañana. Tres o cuatro hice poner en cada esquina.

D. SERAPIO. Ah, y cuide usted (*Levántase*) que les pongan buen engrudo, porque si no...[39]

D. ELEUTERIO. Sí, que no estoy en todo. Como que yo mismo le hice con esa mira, y lleva una buena parte de cola.

D.ª AGUSTINA. El *Diario* y la *Gaceta* la han anunciado ya, ¿es verdad?

D. HERMÓGENES. En términos precisos.

D.ª AGUSTINA. Pues irán vendidos... quinientos ejemplares.

D. SERAPIO. ¡Qué friolera![40] Y más de ochocientos también.

D.ª AGUSTINA. ¿He acertado?

D. SERAPIO. ¿Es verdad que pasan de ochocientos?

D. ELEUTERIO. No señor, no es verdad. La verdad es que

[38] El comentario de Mariquita pone de relieve el aspecto más llamativo de las comedias populares del día: su uso y abuso de todo lo espectacular.

[39] *engrudo*: 'pasta viscosa que se hace cociendo en agua harina o almidón y se usa para pegar papeles y otras cosas ligeras'. D. Eleuterio le añade cola para estar más seguro de su eficacia. En un romance dedicado al conde de Floridablanca, anterior a 1790, Moratín le había aconsejado a su musa: «Y apesta al público, grazna, / engruda los esquinazos, / y Dios te ayude y te dé / lectores desocupados».

[40] '¡Qué pequeñez!'.

hasta ahora, según me acaban de decir, no se han despachado más que tres ejemplares, y esto me da malísima espina.

D. SERAPIO. ¿Tres no más? Harto poco es.[41]

D.ª AGUSTINA. Por vida mía que es bien poco.

D. HERMÓGENES. Distingo. Poco, absolutamente hablando, niego; respectivamente, concedo; porque nada hay que sea poco ni mucho *per se*, sino respectivamente. Y así, si los tres ejemplares vendidos constituyen una cantidad tercia con relación a nueve, y bajo este respecto los dichos tres ejemplares se llaman poco, también estos mismos tres ejemplares, relativamente a uno, componen una triplicada cantidad, a la cual podemos llamar mucho, por la diferencia que va de uno a tres. De donde concluyo: que no es poco lo que se ha vendido, y que es falta de ilustración sostener lo contrario.[42]

D.ª AGUSTINA. Dice bien, muy bien.

D. SERAPIO. ¡Qué! ¡Si en poniéndose a hablar este hombre!

D.ª MARIQUITA. Pues, en poniéndose a hablar, probará que lo blanco es verde y que dos y dos son veinte y cinco. Yo no entiendo tal modo de sacar cuentas... Pero, al cabo y al fin, las tres comedias que se han vendido hasta ahora, ¿serán más que tres?

D. ELEUTERIO. Es verdad y, en suma, todo el importe no pasará de seis reales.

D.ª MARIQUITA. Pues seis reales, cuando esperábamos montes de oro con la tal impresión. Ya voy yo viendo que si mi boda no se ha de hacer hasta que todos esos papelotes se despachen, me llevarán con palma[43] a la sepultura. (*Llorando.*) ¡Pobrecita de mí!

D. HERMÓGENES. No así, hermosa Mariquita, desperdicie usted el tesoro de perlas que una y otra luz derrama.[44]

[41] Había escrito Voltaire, *Cándido,* 22, sobre «un libro del que sólo se ha visto fuera de la librería el ejemplar que me dedicó»; y Moratín redactó este epigrama: «En un cartelón leí / que tu obrilla baladí / la vende Navamorcuende... / No has de decir que la vende, / sino que la tiene allí».

[42] Todo el párrafo es una parodia evidente de la terminología y el estilo propio de las disputas verbales de la escolástica (que cuadra con las incongruencias del personaje). Se ha pretendido relacionar con Molière, *El enfermo imaginario*, II, 7, pero algo semejante, bien que con otro fin, había hecho Lope en *La esclava de su galán*, I, I. Pérez Galdós no dudaría en aludir a la lógica aplastante de D. Hermógenes en su novela *La de Bringas*, XXXVII.

[43] 'virgen'.

[44] Recuérdese la burla que Moratín había hecho de la imaginería y las metáforas amorosas del barroco en su «Lección poética».

D.ª MARIQUITA. ¡Perlas! Si yo supiera llorar perlas, no tendría mi hermano necesidad de escribir disparates.

ESCENA IV

D. ANTONIO, D. ELEUTERIO, D. HERMÓGENES, D.ª AGUSTINA, D.ª MARIQUITA

D. ANTONIO. A la orden de ustedes, señores.

D. ELEUTERIO. ¿Pues cómo tan presto? ¿No dijo usted que iría a ver la comedia?

D. ANTONIO. En efecto, he ido. Allí queda D. Pedro.

D. ELEUTERIO. ¿Aquel caballero de tan mal humor?

D. ANTONIO. El mismo. Que quieras que no, le he acomodado (*Sale Pipí por la puerta del foro con un canastillo de manteles, cubiertos, etc. y le pone sobre el mostrador*) en el palco de unos amigos. Yo creí tener luneta segura, pero ¡qué! ni luneta, ni palcos, ni tertulia, ni cubillos:[45] no hay asiento en ninguna parte.

D.ª AGUSTINA. Si lo dije.

D. ANTONIO. Es mucha la gente que hay.

D. ELEUTERIO. Pues no, no es cosa de que usted se quede sin verla. Yo tengo palco. Véngase usted con nosotros, y todos nos acomodaremos.

D.ª AGUSTINA. Sí, puede usted venir con toda satisfacción, caballero.

D. ANTONIO. Señora, doy a usted mil gracias por su atención, pero ya no es cosa de volver allá. Cuando yo salí empezaba la primera tonadilla, conque...[46]

D. SERAPIO. ¿La tonadilla?

D.ª MARIQUITA. ¿Qué dice usted? (*Levántanse todos.*)

D. ELEUTERIO. ¿La tonadilla?

[45] *tertulia*: 'corredor situado encima de los palcos terceros, en la parte más alta del recinto teatral'; *cubillos*: 'pequeños aposentos situados a ambos lados de la embocadura, debajo de los palcos primeros y próximos al escenario'.

[46] «La distribución que se observaba veinte años haçe en las representaciones era ésta. Empezábase la comedia, y al concluir la primera jornada, se echaba un entremés; seguía una tonadilla, después la segunda jornada, luego un sainete, otra tonadilla y, por último, la tercera jornada de la comedia» (*Nota de Moratín*).

D.ª AGUSTINA. ¿Pues cómo han empezado tan presto?

D. ANTONIO. No, señora, han empezado a la hora regular.

D.ª AGUSTINA. No puede ser, si ahora serán...

D. HERMÓGENES. Yo lo diré. (*Saca el reloj.*) Las tres y media en punto.[47]

D.ª MARIQUITA. ¡Hombre! ¿Qué tres y media? Su reloj de usted está siempre en las tres y media.

D.ª AGUSTINA. A ver... (*Toma el reloj de D. Hermógenes, le aplica al oído y se le vuelve.*)[48] Si está parado.

D. HERMÓGENES. Es verdad. Esto consiste en que la elasticidad del muelle espiral...

D.ª MARIQUITA. Consiste en que está parado, y nos ha hecho usted perder la mitad de la comedia. Vamos, hermana.

D.ª AGUSTINA. Vamos.

D. ELEUTERIO. ¡Cuidado que es cosa particular! ¡Voto va sanes![49] La casualidad de...

D.ª MARIQUITA. Vamos pronto. ¿Y mi abanico?

D. SERAPIO. Aquí está.

D. ANTONIO. Llegarán ustedes al segundo acto.

D.ª MARIQUITA. Vaya, que este D. Hermógenes...

D.ª AGUSTINA. Quede usted con Dios, caballero.

D.ª MARIQUITA. Vamos aprisa.

D. ANTONIO. Vayan ustedes con Dios.

D. SERAPIO. A bien que cerca estamos.[50]

D. ELEUTERIO. Cierto que ha sido un chasco, estarnos así fiados en...

D.ª MARIQUITA. Fiados en el maldito reloj de D. Hermógenes.

[47] El incidente del reloj de D. Hermógenes recuerda uno similar —aunque allí más extenso— en Goldoni, *La bottega del caffè*, I, 3. Cadalso, *Eruditos*, «Viernes», sugería: «Y si os aprietan sobre que tratéis el punto más individualmente, sacad un reloj y decid que es la hora precisa de la comedia, o sacad el otro y decid que se os ha pasado el tiempo». En la presente escena, el reloj funciona como recurso cómico, rompiendo con su función lógica.

[48] 'restituye, devuelve'.

[49] Plural de *san* que sólo se usa en interjecciones. Juramento que se hace en demostración de ira.

[50] *A bien que*: 'Por fortuna'.

ESCENA V

D. ANTONIO, PIPÍ

D. ANTONIO. ¿Conque estas dos son la hermana y la mujer del autor de la comedia?

PIPÍ. Sí, señor.

D. ANTONIO. ¡Qué paso llevan! Ya se ve, se fiaron del reloj de D. Hermógenes.

PIPÍ. Pues yo no sé qué será, pero desde la ventana de arriba se ve salir mucha gente del coliseo.

D. ANTONIO. Serán los del patio, que estarán sofocados. Cuando yo me vine quedaban dando voces para que les abriesen las puertas. El calor es muy grande y, por otra parte, meter cuatro donde no caben más que dos es un despropósito; pero lo que importa es cobrar a la puerta, y más que revienten dentro.

ESCENA VI

D. PEDRO, D. ANTONIO, PIPÍ

D. ANTONIO. ¡Calle! ¿Ya está usted por acá? Pues y la comedia, ¿en qué estado queda?

D. PEDRO. Hombre, no me hable usted de comedia, (*Siéntase*) que no he tenido rato peor muchos meses ha.

D. ANTONIO. ¿Pues qué ha sido ello? (*Sentándose junto a D. Pedro.*)

D. PEDRO. ¿Qué ha de ser? Que he tenido que sufrir (gracias a la recomendación de usted) casi todo el primer acto y, por añadidura, una tonadilla insípida y desvergonzada, como es costumbre. Hallé la ocasión de escapar y la aproveché.

D. ANTONIO. ¿Y qué tenemos en cuanto al mérito de la pieza?

D. PEDRO. Que cosa peor no se ha visto en el teatro desde que las musas de guardilla le abastecen...[51] Si tengo hecho pro-

[51] 'musas de desván', es decir, de desecho, de mala calidad. Moratín había empleado en su poesía la expresión «políticos de desván» con sentido equivalente.

pósito firme de no ir jamás a ver esas tonterías. A mí no me divierten; al contrario, me llenan de, de... No señor, menos me enfada cualquiera de nuestras comedias antiguas, por malas que sean. Están desarregladas, tienen disparates, pero aquellos disparates y aquel desarreglo son hijos del ingenio y no de la estupidez. Tienen defectos enormes, es verdad; pero entre estos defectos se hallan cosas que, por vida mía, tal vez suspenden y conmueven al espectador en términos de hacerle olvidar o disculpar cuantos desaciertos han precedido.[52] Ahora, compare usted nuestros autores adocenados del día con los antiguos y dígame si no valen más Calderón, Solís, Rojas, Moreto cuando deliran que estotros cuando quieren hablar en razón.[53]

D. ANTONIO. La cosa es tan clara, señor D. Pedro, que no hay nada que oponer a ella. Pero, dígame usted, el pueblo, el pobre pueblo, ¿sufre con paciencia ese espantable comedión?[54]

D. PEDRO. No tanto como el autor quisiera, porque algunas veces se ha levantado en el patio una mareta sorda que traía visos de tempestad.[55] En fin, se acabó el acto muy oportunamente, pero no me atreveré a pronosticar el éxito de la tal pieza, porque, aunque el público está ya muy acostumbrado a oír desatinos, tan garrafales como los de hoy jamás se oyeron.

D. ANTONIO. ¿Qué dice usted?

D. PEDRO. Es increíble. Allí no hay más que un hacinamiento confuso de especies, una acción informe, lances inverisímiles,[56] episodios inconexos, caracteres mal expresados o mal escogidos; en vez de artificio, embrollo; en vez de situaciones cómicas, ma-

[52] *tal vez*: 'alguna vez, a veces'; uso muy frecuente en la literatura del Siglo de Oro.

[53] La postura de Moratín hacia el teatro del Siglo de Oro se expresa aquí con toda la ambivalencia, pero sin ambigüedad, de casi todos los ilustrados. El aprecio-rechazo, no obstante, recibirá algunos matices. Pero la diferencia entre los grandes dramaturgos barrocos y los mediocres contemporáneos queda subrayada.

[54] Parece seguir a Clavijo y Fajardo, *El Pensador*, IX: «Pero dígame Vm. para mi consuelo. ¿El pueblo, el pobre pueblo mostraba estar contento? ¿Aplaudía tanto y daba tan terribles palmadas como las que nos aturdieron en el coliseo del Príncipe?».

[55] *mareta*: 'rumor de muchedumbre que empieza a agitarse'. Cuando Moratín menciona al patio, se refiere a un sector muy determinado del público: el de menor nivel socioeconómico y cultural.

[56] 'inverosímiles'; la forma usada por Moratín es la dominante durante el siglo XVIII.

marrachadas de linterna mágica.[57] No hay conocimiento de historia, ni de costumbres; no hay objeto moral, no hay lenguaje, ni estilo, ni versificación, ni gusto, ni sentido común.[58] En suma, es tan mala y peor que las otras con que nos regalan todos los días.

D. ANTONIO. Y no hay que esperar nada mejor. Mientras el teatro siga en el abandono en que hoy está, en vez de ser el espejo de la virtud y el templo del buen gusto, será la escuela del error y el almacén de las extravagancias.[59]

D. PEDRO. ¡Pero no es fatalidad que, después de tanto como se ha escrito por los hombres más doctos de la nación sobre la necesidad de su reforma,[60] se han de ver todavía en nuestra es-

57 Añadía la edición de 1792: «¡Y el estilo! Cuando debe ser noble y afectuoso es oscuro, campanudo y hueco; cuando debe ser sencillo y gracioso es chabacano y frío. La moral no la busque usted ni en la fábula ni en los caracteres: allí no hay otra moral que la que inoportunamente se vierte en unas largas misiones, que no son otra cosa los soliloquios de que está llena la tal comedia. ¡Pero qué moral! ¡Ya se ve! ¿Qué moral ha de enseñar el poeta que no haya estudiado el corazón del hombre, que no haya observado de qué manera influyen en el carácter particular de cada individuo el temperamento, la edad, la educación, el interés, la legislación, las preocupaciones y costumbres públicas? Si ignora esto y carece al mismo tiempo de aquella sensibilidad con que un buen poeta sabe revestirse de los mismos afectos que finge e indentificarse con los caracteres que copia de la naturaleza, ¿qué doctrina moral ni qué ilusión deberá esperarse?». El motivo de la supresión de este párrafo, como el de algunos que siguen, no es otro que aligerar el peso discursivo de D. Pedro.

Como se sabe, la *linterna mágica* permitía ver, por un juego de luces y sombras sobre una placa previamente preparada, ciertas imágenes en movimiento. Escribe Cadalso, *Eruditos*, «Miércoles»: «con saber explicar una cámara oscura y una linterna mágica... no habrá vieja que no os tenga por tan mágico en nuestros días como el pobre marqués de Villena lo fue en los suyos».

58 «La ignorancia con que disponían sus fábulas dramáticas los poetas contemporáneos de D. Eleuterio no la disimulaban con las prendas de estilo, lenguaje y versificación; todo era de igual mérito; y el que lea, no una, sino muchas docenas de aquellos monstruosos dramas, hallará con cuánta moderación se censuraron en *La comedia nueva* sus desaciertos» (*Nota de Moratín*).

59 Expone Moratín, recogiendo términos de tradición ciceroniana, la finalidad educativa que debe tener el teatro. En Cadalso, *Suplemento a Eruditos*, una dama afirma: «la poesía sola ... es la única diversión que nos conceden con alguna libertad ... el teatro es la única cátedra a cuya asistencia se nos admite».

60 Añade en 1792: «y, a la vista de los progresos que ha hecho en Europa la poesía dramática».

Alude claramente a los escritos en pro de la reforma teatral publicados por Luzán, Nasarre, Montiano, Clavijo y Fajardo, Nicolás F. de Moratín, Nipho y algunos más. El compromiso de Moratín con la reforma fue más allá de las declaraciones puestas en boca de sus personajes.

cena espectáculos tan infelices![61] ¿Qué pensarán de nuestra cultura los extranjeros que vean la comedia de esta tarde? ¿Qué dirán cuando lean las que se imprimen continuamente?

D. ANTONIO. Digan lo que quieran, amigo D. Pedro, ni usted ni yo podemos remediarlo.[62] ¿Y qué haremos? Reír o rabiar, no hay otra alternativa... Pues yo más quiero reír que impacientarme.

D. PEDRO. Yo no, porque no tengo serenidad para eso. Los progresos de la literatura, señor D. Antonio, interesan mucho al poder, a la gloria y a la conservación de los imperios; el teatro influye inmediatamente en la cultura nacional; el nuestro está perdido, y yo soy muy español.[63]

D. ANTONIO. Con todo, cuando se ve que... Pero ¿qué novedad es ésta?

[61] Compárese lo que dice Clavijo y Fajardo, *El Pensador*, XX: «¿Y no tenemos vergüenza de que en la corte de una nación tan grande como la española se representen cosas tan absurdas que nos hacen pasar por bárbaros en el concepto de todas las naciones? Yo bien sé que la parte sana y cultivada de los teatros siente y declama contra el abuso y desorden de sus teatros, que todos gritan por su reforma».

[62] La edición de 1792 añade: «Ello es cierto que nuestro teatro está en el mayor abandono, ni hay hombre de buena razón que lo ignore; su reforma es urgente y fácil; nuestros mejores ingenios no sólo han declamado contra él, sino que han dado ejemplos, ya en la carrera cómica y ya en la trágica, del modo con que se debería escribir; el público ha reconocido el mérito de estas obras, pero el teatro sigue, como siempre, en un estado lastimoso». La supresión tiende a aliviar la insistencia y la repetición de la misma idea.

[63] La reforma del teatro como función política y cultural de primera importancia se plantea como un acto patriótico y nacional. Compárese Clavijo y Fajardo, *El Pensador*, XXI: «Las representaciones teatrales son no digo útiles sino necesarias ... merecen el mayor cuidado y fomento de parte de un gobierno que no haya llegado a desconocer la poderosa influencia del teatro para corregir las costumbres de los hombres».

ESCENA VII

D. SERAPIO, D. HERMÓGENES, D. PEDRO,
D. ANTONIO, PIPÍ

D. SERAPIO. Pipí, muchacho, corriendo, por Dios, un poco de agua.

D. ANTONIO. ¿Qué ha sucedido?

(*Se levantan D. Antonio y D. Pedro.*)

D. SERAPIO. No te pares en enjuagatorios. Aprisa.

PIPÍ. Voy, voy allá.

D. SERAPIO. Despáchate.

PIPÍ. ¡Por vida del hombre! (*Pipí va detrás de D. Serapio con un vaso de agua. D. Hermógenes, que sale apresurado, tropieza con él y deja caer el vaso y el plato.*) ¿Por qué no mira usted?

D. HERMÓGENES. ¿No hay alguno de ustedes que tenga por ahí un poco de agua de melisa, elixir, extracto, aroma, álkali volátil, éter vitriólico o cualquiera quintaesencia antiespasmódica para entonar el sistema nervioso de una dama exánime?[64]

D. ANTONIO. Yo no, no traigo.

D. PEDRO. ¿Pero qué ha sido? ¿Es accidente?

ESCENA VIII

D.ª AGUSTINA, D.ª MARIQUITA, D. ELEUTERIO,
D. HERMÓGENES, D. SERAPIO, D. PEDRO,
D. ANTONIO, PIPÍ

D. ELEUTERIO. Sí, es mucho mejor hacer lo que dice D. Serapio.

(*D.ª Agustina, muy acongojada, sostenida por D. Eleuterio y D. Serapio. La hacen que se siente. Pipí trae otro vaso de agua, y ella bebe un poco.*)

[64] *agua de melisa*: 'remedio tónico y antiespasmódico'; *álkali volátil*: 'sales'; *éter vitriólico*: 'derivado del sulfato de amoníaco'. El lenguaje rebuscado del pedante no cede ni ante una situación de emergencia.

D. SERAPIO. Pues ya se ve. Anda, Pipí, en tu cama podrá descansar esta señora.

PIPÍ. ¡Qué! Si está en un camarachón que...[65]

D. ELEUTERIO. No importa.

PIPÍ. ¡La cama! La cama es un jergón de arpillera y...

D. SERAPIO. ¿Qué quiere decir eso?[66]

D. ELEUTERIO. No importa nada. Allí estará un rato, y veremos si es cosa de llamar a un sangrador.[67]

PIPÍ. Yo, bien, si ustedes...

D.ª AGUSTINA. No, no es menester.

D.ª MARIQUITA. ¿Se siente usted mejor, hermana?

D. ELEUTERIO. ¿Te vas aliviando?

D.ª AGUSTINA. Alguna cosa.

D. SERAPIO. ¡Ya se ve! El lance no era para menos.

D. ANTONIO. ¿Pero se podrá saber qué especie de insulto ha sido éste?[68]

D. ELEUTERIO. ¿Qué ha de ser, señor, qué ha de ser? Que hay gente envidiosa y malintencionada que... ¡Vaya! No me hable usted de eso, porque... ¡Picarones! ¿Cuándo han visto ellos comedia mejor?[69]

D. PEDRO. No acabo de comprender.

D.ª MARIQUITA. Señor, la cosa es bien sencilla. El señor es hermano mío, marido de esta señora y autor de esa maldita comedia que han echado hoy. Hemos ido a verla; cuando llegamos estaban ya en el segundo acto. Allí había una tempestad, y luego un consejo de guerra, y luego un baile, y después un entierro... En fin, ello es que al cabo de esta tremolina, salía la dama con un chiquillo de la mano, y ella y el chico rabiaban de

[65] *camarachón* o *camaranchón*: 'desván o cuarto en lo más alto de la casa donde solían guardarse trastos viejos'; aunque algunos editores han modificado lo escrito por Moratín, tal vez por no encontrar la voz en ningún diccionario, él no lo corrigió nunca.

[66] Añade la edición de 1792: «PIPÍ.— Y huele todo aquello que...». El comentario del camarero no era demasiado agradable.

[67] Encargado de practicar sangrías como terapia médica. A pesar de los avances de la medicina, y en especial de la iatroquímica, los tratamientos tradicionales de base galénica seguían en vigor.

[68] *insulto*: 'indisposición repentina que priva de sentido o de movimiento'.

[69] Escribió Moratín sobre estas palabras en el día del estreno: «supo decirlo el actor que desempeñaba este papel con expresión tan oportunamente equívoca que la mayor parte del concurso, aplicando aquellas palabras a lo que estaba sucediendo, interrumpió con aplausos la interpretación».

hambre; el muchacho decía: «Madre, déme usted pan», y la madre invocaba a Demogorgon y al Cancerbero.[70] Al llegar nosotros se empezaba este lance de madre e hijo... El patio estaba tremendo. ¡Qué oleadas! ¡Qué toser! ¡Qué estornudos! ¡Qué bostezar! ¡Qué ruido confuso por todas partes...! Pues, señor, como digo: salió la dama, y apenas hubo dicho que no había comido en seis días, y apenas el chico empezó a pedirla pan, y ella a decirle que no le tenía, cuando, para servir a ustedes, la gente (que a la cuenta estaba ya hostigada de la tempestad, del consejo de guerra, del baile y del entierro) comenzó a alborotarse. El ruido se aumenta; suenan bramidos por un lado y otro, y empieza tal descarga de palmadas huecas y tal golpeo en los bancos y barandillas que no parecía sino que toda la casa se venía al suelo. Corrieron el telón, abrieron las puertas, salió renegando toda la gente, a mi hermana se la oprimió el corazón, de manera que...[71] En fin, ya está mejor, que es lo principal. Aquello no ha sido ni oído ni visto; en un instante, entrar en el palco y suceder lo que acabo de contar, todo ha sido a un tiempo. ¡Válgame Dios! ¡En lo que han venido a parar tantos proyectos![72] Bien decía yo que era imposible que... (*Siéntase junto a D.ª Agustina.*)

D. ELEUTERIO. ¡Y que no ha de haber justicia para esto! D. Hermógenes, amigo D. Hermógenes, usted bien sabe lo que es la pieza; informe usted a estos señores... Tome usted: (*Saca la comedia y se la da a D. Hermógenes*) léales usted todo el segundo acto y que me digan si una mujer que no ha comido en seis días tiene razón de morirse, y si es mal parecido que un chico de cuatro años pida pan a su madre.[73] Lea usted, lea usted, y que me digan si hay conciencia ni ley de Dios para haberme asesinado de esta manera.

D. HERMÓGENES. Yo por ahora, amigo D. Eleuterio, no puedo encargarme de la lectura del drama. (*Deja la comedia sobre*

[70] *Demogorgon* era genio de la tierra que vivía en su centro junto a Caos y Eternidad; *Cancerbero*, el perro de tres cabezas que vigilaba las puertas del Infierno.

[71] El fracaso de *El gran cerco de Viena* configura el primer desenlace de la obra, al que seguirá, con otro carácter muy diferente, el de *La comedia nueva*.

[72] Como en la fábula de «La lechera», con quien Mariquita presenta algunos rasgos en común.

[73] En *Federico II*, de Comella, los hijos de Treslow, el héroe, también reclaman pan, pero su mujer muere de hambre mientras los pequeños se embaulan un trozo de pan negro.

una mesa. Pipí la toma, se sienta en una silla distante y lee.) Estoy de prisa.[74] Nos veremos otro día y...

D. ELEUTERIO. ¿Se va usted?

D.ª MARIQUITA. ¿Nos deja usted?

D. HERMÓGENES. Si en algo pudiera contribuir con mi presencia al alivio de ustedes, no me movería de aquí, pero...

D.ª MARIQUITA. No se vaya usted.

D. HERMÓGENES. Me es muy doloroso asistir a tan acerbo espectáculo; tengo que hacer. En cuanto a la comedia, nada hay que decir; murió, y es imposible que resucite, bien que ahora estoy escribiendo una apología del teatro y la citaré con elogio. Diré que hay otras peores; diré que si no guarda reglas ni conexión consiste en que el autor era un grande hombre; callaré sus defectos...

D. ELEUTERIO. ¿Qué defectos?

D. HERMÓGENES. Algunos que tiene.

D. PEDRO. Pues no decía usted eso poco tiempo ha.

D. HERMÓGENES. Fue para animarle.

D. PEDRO. Y para engañarle y perderle. Si usted conocía que era mala, ¿por qué no se lo dijo? ¿Por qué, en vez de aconsejarle que desistiera de escribir chapucerías, ponderaba usted el ingenio del autor y le persuadía que era excelente una obra tan ridícula y despreciable?

D. HERMÓGENES. Porque el señor carece de criterio y sindéresis para comprender la solidez de mis raciocinios,[75] si por ellos intentara persuadirle que la comedia es mala.

D.ª AGUSTINA. ¿Conque es mala?

D. ELEUTERIO. ¿Qué dice usted?

D. HERMÓGENES. Malísima.

D.ª AGUSTINA. Usted se chancea, D. Hermógenes; no puede ser otra cosa.

D. PEDRO. No, señora, no se chancea; en eso dice la verdad. La comedia es detestable.

D.ª AGUSTINA. Poco a poco con eso, caballero, que una cosa es que el señor lo diga por gana de fiesta y otra que usted nos lo venga a repetir de ese modo. Usted será de los eruditos que

[74] 'tengo prisa'. Este giro ha sustituido *estar* junto a *de* por *tener*..., probablemente por aproximación a otros giros formados con el mismo verbo.

[75] *sindéresis*: 'discreción, capacidad natural para juzgar rectamente'.

de todo blasfeman y nada les parece bien sino lo que ellos hacen; pero...

D. PEDRO. Si usted es marido de esa (*A D. Eleuterio*) señora, hágala usted callar; porque aunque no puede ofenderme cuanto diga, es cosa ridícula que se meta a hablar de lo que no entiende.

D.ª AGUSTINA. ¿No entiendo? ¿Quién le ha dicho a usted que...?

D. ELEUTERIO. Por Dios, Agustina, no te desazones. Ya ves (*Se levanta colérica, y D. Eleuterio la hace sentar*) cómo estás... ¡Válgame Dios, señor! Pero, amigo (*A D. Hermógenes*), no sé qué pensar de usted.[76]

D. HERMÓGENES. Piense usted lo que quiera. Yo pienso de su obra lo que ha pensado el público; pero soy su amigo de usted, y aunque vaticiné el éxito infausto que ha tenido, no quise anticiparle una pesadumbre, porque, como dice Platón, y el abate Lampillas...[77]

D. ELEUTERIO. Digan lo que quieran. Lo que yo digo es que usted me ha engañado como a un chino.[78] Si yo me aconsejaba con usted, si usted ha visto la obra lance por lance y verso por verso, si usted me ha exhortado a concluir las otras que tengo manuscritas, si usted me ha llenado de elogios y esperanzas, si me ha hecho usted creer que yo era un grande hombre, ¿cómo me dice usted ahora eso? ¿Cómo ha tenido usted corazón para exponerme a los silbidos, al palmoteo y a la zumba de esta tarde?

D. HERMÓGENES. Usted es pacato y pusilánime en demasía... ¿Por qué no le anima a usted el ejemplo? ¿No ve usted esos autores que componen para el teatro con cuánta imperturbabilidad toleran los vaivenes de la fortuna? Escriben, los silban, y vuelven a escribir; vuelven a silbarlos, y vuelven a escribir... ¡Oh, almas grandes, para quienes los chiflidos son arrullos y las maldiciones alabanzas!

[76] Se insinúa aquí algo del desenlace sentimental de la obra, puesto que el dolor apuntado por D. Eleuterio afecta más al sentido de la amistad que al fracaso mismo de la comedia.

[77] Francisco Javier Lampillas, jesuita expulso, escribió y publicó en italiano, entre 1778 y 1781, su *Ensayo histórico-apologético de la literatura española*, traducido al español por doña Josefa Amar de Borbón en 1782-1786. Es una de las defensas de las letras españolas contra los ataques de Tiraboschi, Bettinelli y otros. Platón no tiene demasiada cabida en este punto.

[78] Frase vulgar que supone a los chinos torpes y faltos de conocimiento y, por tanto, fáciles de engañar. Ya a comienzos del siglo XVIII se tenía eso por erróneo, considerándolos muy hábiles e ingeniosos.

D.ª MARIQUITA. ¿Y qué quiere usted (*Levántase*) decir con eso? Ya no tengo paciencia para callar más. ¿Qué quiere usted decir? ¿Que mi pobre hermano vuelva otra vez...?

D. HERMÓGENES. Lo que quiero decir es que estoy de prisa y me voy.

D.ª AGUSTINA. Vaya usted con Dios, y haga usted cuenta que no nos ha conocido. ¡Picardía! No sé cómo (*Se levanta muy enojada, encaminándose hacia D. Hermógenes, que se va retirando de ella*) no me tiro a él... ¡Váyase usted!

D. HERMÓGENES. ¡Gente ignorante![79]

D.ª AGUSTINA. ¡Váyase usted!

D. ELEUTERIO. ¡Picarón!

D. HERMÓGENES. ¡Canalla infeliz!

ESCENA IX

D. ELEUTERIO, D. SERAPIO, D. ANTONIO, D. PEDRO, D.ª AGUSTINA, D.ª MARIQUITA, PIPÍ

D. ELEUTERIO. ¡Ingrato! ¡Embustero! Después (*Se sienta con ademanes de abatimiento*) de lo que hemos hecho por él.

D.ª MARIQUITA. Ya ve usted, hermana, lo que ha venido a resultar. Si lo dije, si me lo daba el corazón... Mire usted qué hombre, después de haberme traído en palabras tanto tiempo y, lo que es peor, haber perdido por él la conveniencia de casarme con el boticario, que a lo menos es hombre de bien, y no sabe latín, ni se mete en citar autores como ese bribón... ¡Pobre de mí! Con diez y seis años que tengo, y todavía estoy sin colocar por el maldito empeño de ustedes de que me había de casar con un erudito que supiera mucho... Mire usted lo que sabe el renegado (Dios me perdone): quitarme mi acomodo, engañar a mi hermano, perderle, y hartarnos de pesadumbres.

D. ANTONIO. No se desconsuele usted, señorita, que todo se compondrá. Usted tiene mérito, y no le faltarán proporciones mucho mejores que las que ha perdido.[80]

[79] También Trissotin, en *Las mujeres sabias*, decide abandonar a Henriette en cuanto averigua que su padre está en la ruina. Aquí, de paso, desvela la intrínseca hipocresía del pedante.

[80] *proporciones*: 'ocasiones, oportunidades'.

D.ª AGUSTINA. Es menester que tengas un poco de paciencia, Mariquita.

D. ELEUTERIO. La paciencia (*Se levanta con viveza*) la necesito yo, que estoy desesperado de ver lo que me sucede.

D.ª AGUSTINA. Pero, hombre, ¡qué!, ¿no has de reflexionar?

D. ELEUTERIO. Calla, mujer, calla, por Dios, que tú también...

D. SERAPIO. No señor, el mal ha estado en que nosotros no lo advertimos con tiempo... Pero yo le aseguro al guarnicionero y a sus camaradas que, si llegamos a pillarlos, solfeo de mojicones como el que han de llevar no le... La comedia es buena, señor, créame usted a mí: la comedia es buena. Ahí no ha habido más sino que los de allá se han unido y...

D. ELEUTERIO. Yo ya estoy en que la comedia no es tan mala, y que hay muchos partidos; pero lo que a mí...

D. PEDRO. ¿Todavía está usted en esa equivocación?

D. ANTONIO. (*Aparte, a D. Pedro.*) Déjele usted.

D. PEDRO. No quiero dejarle; me da compasión...[81] Y, sobre todo, es demasiada necedad, después de lo que ha sucedido, que todavía esté creyendo el señor que su obra es buena. ¿Por qué ha de serlo? ¿Qué motivos tiene usted para acertar? ¿Qué ha estudiado usted? ¿Quién le ha enseñado el arte? ¿Qué modelos se ha propuesto usted para la imitación? ¿No ve usted que en todas las facultades hay un método de enseñanza y unas reglas que seguir y observar; que a ellas debe acompañar una aplicación constante y laboriosa, y que sin estas circunstancias, unidas al talento, nunca se formarán grandes profesores, porque nadie sabe sin aprender? ¿Pues por dónde usted, que carece de tales requisitos, presume que habrá podido hacer algo bueno? ¿Qué? ¿No hay sino meterse a escribir a salga lo que salga, y en ocho días zurcir un embrollo, ponerle malos versos, darle al teatro, y ya soy autor? ¿Qué? ¿No hay más que escribir comedias? Si han de ser como la de usted o como las demás que se la parecen, poco talento, poco estudio y poco tiempo son necesarios; toda la vida de un hombre, un ingenio muy sobresaliente, un estudio

[81] D. Pedro, como hombre de bien, no puede sino expresar su ternura y sensibilidad en forma de compasión que, recuérdese, era el sentimiento que, según Rousseau, permitía a los hombres vivir en sociedad.

infatigable, observación continua, sensibilidad, juicio exquisito, y todavía no hay seguridad de llegar a la perfección.[82]

D. ELEUTERIO. Bien está, señor. Será todo lo que usted dice, pero ahora no se trata de eso. Si me desespero y me confundo es por ver que todo se me descompone, que he perdido mi tiempo, que la comedia no me vale un cuarto, que he gastado en la impresión lo que no tenía...

D. ANTONIO. No, la impresión, con el tiempo, se venderá.

D. PEDRO. No se venderá, no señor. El público no compra en la librería las piezas que silba en el teatro. No se venderá.

D. ELEUTERIO. Pues, vea usted, no se venderá, y pierdo ese dinero, y por otra parte... ¡Válgame Dios! Yo, señor, seré lo que ustedes quieran, seré mal poeta, seré un zopenco, pero soy un hombre de bien.[83] Ese picarón de D. Hermógenes me ha estafado cuanto tenía para pagar sus trampas y sus embrollos, me ha metido en nuevos gastos y me deja imposibilitado de cumplir como es regular con los muchos acreedores que tengo.

D. PEDRO. Pero ahí no hay más que hacerles una obligación de irlos pagando poco a poco,[84] según el empleo o facultad que usted tenga y arreglándose a una buena economía.

D.ª AGUSTINA. ¡Qué empleo ni qué facultad, señor! Si el pobrecito no tiene ninguna.

D. PEDRO. ¿Ninguna?

D. ELEUTERIO. No, señor. Yo estuve en esa lotería de ahí arriba; después me puse a servir a un caballero indiano, pero se

[82] En un poema dedicado a Goya escribe Moratín: «Vanos mis votos fueron, / vano el estudio, y siempre deseada / la perfección, siempre la vi distante». Resume D. Pedro en este párrafo la fusión de inspiración y arte (preceptos) que forma parte del credo esencial de los neoclásicos (y de todo el clasicismo antiguo y renacentista), cuya atemporalidad está fuera de duda.

[83] «Le hizo [el autor a D. Eleuterio] hombre de bien, porque sin esta circunstancia desaparecerían todas las bellezas de aquella figura cómica y todo el interés y el placer que excita ... D. Eleuterio sufre la irrisión pública, no porque D. Hermógenes sea un malvado, sino porque él es un necio, ignorante y presuntuoso; no por cumplir con las obligaciones de padre de familia, sino por ser un menguado poeta, que sólo escribe desaciertos; no por haberse aplicado a un ejercicio en que pudiese adquirir dinero, sino por haber elegido una tarea superior a sus fuerzas, teniendo tantos medios de ganar la vida sin volverse loco ni ser molesto a la sociedad en que vive. En una palabra, no por hombre honrado, sino por insensato, presumido y ridículo se le castiga» (*Nota de Moratín*).

[84] *obligación*: 'documento notarial o privado en reconocimiento de deuda y promesa de pago'.

murió; lo dejé todo y me metí a escribir comedias, porque ese D. Hermógenes me engatusó y...

D.ª MARIQUITA. ¡Maldito sea él!

D. ELEUTERIO. Y si fuera decir estoy solo, anda con Dios; pero casado, y con una hermana, y con aquellas criaturas...

D. ANTONIO. ¿Cuántas tiene usted?

D. ELEUTERIO. Cuatro, señor, que el mayorcito no pasa de cinco años.

D. PEDRO. ¡Hijos tiene! (*Aparte, con ternura.*) ¡Qué lástima![85]

D. ELEUTERIO. Pues si no fuera por eso...

D. PEDRO. (*Aparte.*) ¡Infeliz! Yo, amigo, ignoraba que del éxito de la obra de usted pendiera la suerte de esa pobre familia. Yo también he tenido hijos. Ya no los tengo, pero sé lo que es el corazón de un padre. Dígame usted, ¿sabe usted contar? ¿Escribe usted bien?

D. ELEUTERIO. Sí, señor, lo que es así cosa de cuentas me parece que sé bastante. En casa de mi amo... Porque yo, señor, he sido paje... Allí, como digo, no había más mayordomo que yo.[86] Yo era el que gobernaba la casa; como, ya se ve, estos señores no entienden de eso, y siempre me porté como todo el mundo sabe. Eso sí, lo que es honradez y... ¡Vaya! Ninguno ha tenido que...

D. PEDRO. Lo creo muy bien.

D. ELEUTERIO. En cuanto a escribir, yo aprendí en los Escolapios,[87] y luego me he soltado bastante, y sé alguna cosa de ortografía... Aquí tengo... Vea usted... (*Saca un papel y se le da a D. Pedro.*) Ello está escrito algo de prisa, porque ésta es una tonadilla que se había de cantar mañana... ¡Ay, Dios mío!

D. PEDRO. Me gusta la letra, me gusta.

D. ELEUTERIO. Sí, señor, tiene su introduccioncita, luego entran las coplillas satíricas con su estribillo, y concluye con las...

D. PEDRO. No hablo de eso, hombre, no hablo de eso. Quie-

[85] En este aparte se anuncia con claridad el desenlace de tono sentimental, aunque cargado de contenido desengañador.

[86] *mayordomo*: 'jefe principal de alguna casa ilustre a cuyo cargo estaba el gobierno económico de ella y a quien se subordinaban los demás criados'.

[87] Fundadas por San José de Calasanz, las Escuelas Pías acogían y daban instrucción a niños de familias muy pobres. Se insiste así en la baja condición social y cultural del personaje.

ro decir que la forma de la letra es muy buena. La tonadilla, ya se conoce que es prima hermana de la comedia.

D. ELEUTERIO. Ya.

D. PEDRO. Es menester que se deje usted de esas tonterías. (*Volviéndole el papel.*)

D. ELEUTERIO. Ya lo veo, señor; pero si parece que el enemigo...

D. PEDRO. Es menester olvidar absolutamente esos devaneos, ésta es una condición que exijo de usted. Yo soy rico, muy rico, y no acompaño con lágrimas estériles las desgracias de mis semejantes. La mala fortuna a que le han reducido a usted sus desvaríos necesita, más que consuelos y reflexiones, socorros efectivos y prontos. Mañana quedarán pagadas por mí todas las deudas que usted tenga.

D. ELEUTERIO. Señor, ¿qué dice usted?

D.ª AGUSTINA. ¿De veras, señor? ¡Válgame Dios!

D.ª MARIQUITA. ¿De veras?

D. PEDRO. Quiero hacer más. Yo tengo bastantes haciendas cerca de Madrid. Acabo de colocar a un mozo de mérito que entendía en el gobierno de ellas. Usted, si quiere, podrá irse instruyendo al lado de mi mayordomo, que es hombre honradísimo, y desde luego puede usted contar con una fortuna proporcionada a sus necesidades.[88] Esta señora deberá contribuir por su parte a hacer feliz el nuevo destino que a usted le propongo. Si cuida de su casa, si cría bien a sus hijos, si desempeña como debe los oficios de esposa y madre, conocerá que sabe cuanto hay que saber y cuanto conviene a una mujer de su estado y sus obligaciones. Usted, señorita, no ha perdido nada en no casarse con el pedantón de D. Hermógenes, porque, según se ha visto, es un malvado que la hubiera hecho infeliz. Y si usted disimula un poco las ganas que tiene de casarse, no dudo que hallará muy presto un hombre de bien que la quiera. En una palabra, yo haré en favor de ustedes todo el bien que pueda, no hay que dudarlo. Además, yo tengo muy buenos amigos en la corte y... Créanme ustedes, soy algo áspero en mi carácter, pero tengo el corazón muy compasivo.[89]

[88] Lo que le ofrece D. Pedro a D. Eleuterio es una solución a sus problemas económicos pero, al mismo tiempo, le abre una vía de posible ascenso social acorde con sus posibilidades.

[89] D. Pedro expresa así toda la ternura y sensibilidad propia de su hombría de bien.

D.ª MARIQUITA. ¡Qué bondad!

(*D. Eleuterio, su mujer y su hermana quieren arrodillarse a los pies de D. Pedro; él lo estorba y los abraza cariñosamente.*)[90]

D. ELEUTERIO. ¡Qué generoso!

D. PEDRO. Esto es ser justo. El que socorre la pobreza, evitando a un infeliz la desesperación y los delitos,[91] cumple con su obligación; no hace más.

D. ELEUTERIO. Yo no sé cómo he de pagar a usted tantos beneficios.

D. PEDRO. Si usted me lo agradece, ya me los paga.

D. ELEUTERIO. Perdone usted, señor, las locuras que he dicho y el mal modo...

D.ª AGUSTINA. Hemos sido muy imprudentes.

D. PEDRO. No hablemos de eso.

D. ANTONIO. ¡Ah, D. Pedro! ¡Qué lección me ha dado usted esta tarde!

D. PEDRO. Usted se burla. Cualquiera hubiera hecho lo mismo en iguales circunstancias.

D. ANTONIO. Su carácter de usted me confunde.

D. PEDRO. ¡Eh! Los genios serán diferentes,[92] pero somos muy amigos. ¿No es verdad?

D. ANTONIO. ¿Quién no querrá ser amigo de usted?

D. SERAPIO. Vaya, vaya, yo estoy loco de contento.

D. PEDRO. Más lo estoy yo, porque no hay placer comparable al que resulta de una acción virtuosa.[93] Recoja usted esa comedia, (*Al ver la comedia que está leyendo Pipí*) no se quede por ahí perdida y sirva de pasatiempo a la gente burlona que llegue a verla.

D. ELEUTERIO. ¡Mal haya la comedia (*Arrebata la comedia de manos de Pipí y la hace pedazos*), amén, y mi docilidad y mi tontería! Mañana, así que amanezca, hago una hoguera con todo

[90] El arrodillarse y el besar de manos al benefactor es parte invariable del cuadro que conforma el rito final en las comedias moratinianas.

[91] Resuenan las ideas ilustradas, en especial las de Beccaria, sobre la criminalidad, su prevención y su castigo.

[92] *genios*: 'la natural inclinación o condición de cada uno'.

[93] Escribe Jovellanos en *El delincuente honrado*: «el verdadero honor es el que resulta del ejercicio de la virtud y del cumplimiento de los propios deberes».

cuanto tengo, impreso y manuscrito, y no ha de quedar en mi casa un verso.

D.ª MARIQUITA. Yo encenderé la pajuela.

D.ª AGUSTINA. Y yo aventaré las cenizas.

D. PEDRO. Así debe ser. Usted, amigo, ha vivido engañado. Su amor propio, la necesidad, el ejemplo y la falta de instrucción le han hecho escribir disparates. El público le ha dado a usted una lección muy dura, pero muy útil, puesto que por ella se reconoce y se enmienda. Ojalá los que hoy tiranizan y corrompen el teatro por el maldito furor de ser autores, ya que desatinan como usted, le imitaran en desengañarse.

EL SÍ DE LAS NIÑAS

Éstas son las seguridades que dan los padres y los tutores, y esto lo que se debe fiar en el sí de las niñas.

Acto tercero, escena XVIII[1]

[1] En la edición de 1805, sigue esta dedicatoria, que sería suprimida tanto en 1806 como en todas las ediciones posteriores: «Al Excmo. Sr. Príncipe de la Paz, etc., etc., etc. — Excmo. Señor:— No hago más que desempeñar la estrecha obligación que me impone mi gratitud dedicando a V.E. la presente obra, y añadirle una recomendación la más favorable con el nombre de V. E. que la ilustra. — Los defectos de que abundará sin duda no dejarán de hallar en el concepto de V.E. la disculpa que necesitan, porque nadie es más indulgente cuando examina los productos de las artes que el hombre ilustrado y sensible, capaz de conocer todas sus bellezas, que sabe cuán difícil es aproximarse a la perfección y cuán limitado el talento humano para conseguirla. — Nuestro Señor guarde la importante vida de V.E. muchos años. — Madrid, 28 de noviembre de 1805. — Excmo. Señor. — B.L.M. de V.E. — Leandro Fernández de Moratín».

ADVERTENCIA

El sí de las niñas se representó en el teatro de la Cruz el día 24 de enero de 1806,[2] y si puede dudarse cuál sea entre las comedias del autor la más estimable, no cabe duda en que ésta ha sido la que el público español recibió con mayores aplausos. Duraron sus primeras representaciones veinte y seis días consecutivos; hasta que llegada la cuaresma se cerraron los teatros, como era costumbre. Mientras el público de Madrid acudía a verla, ya se representaba por los cómicos de las provincias, y una culta reunión de personas ilustres e inteligentes se anticipaba en Zaragoza a ejecutarla en un teatro particular, mereciendo por el acierto de su desempeño la aprobación de cuantos fueron admitidos a oírla.[3] Entretanto se repetían las ediciones de esta obra: cuatro se hicieron en Madrid durante el año de 1806, y todas fueron necesarias para satisfacer la común curiosidad de leerla, excitada por las representaciones del teatro.

¿Cuánta debió ser entonces la indignación de los que no gustan de la ajena celebridad, de los que ganan la vida buscando defectos en todo lo que otros hacen, de los que escriben comedias sin conocer el arte de escribirlas y de los que no quieren ver descubiertos en la escena vicios y errores tan funestos a la sociedad como favorables a sus privados intereses? La aprobación pública reprimió los ímpetus de los críticos foliculários:[4] nada imprimieron contra esta comedia, y la multitud de exámenes, notas, advertencias y observaciones a que dio ocasión, igualmente que las contestaciones y defensas que se hicieron de ella, todo quedó manuscrito.[5]

[2] Debe recordarse que el teatro del Príncipe estaba cerrado por el incendio que el 11 de julio de 1802 destruyó lo que había sido el famoso corral de la Pacheca. La compañía que habitualmente representaba allí, dirigida por Isidoro Máiquez, hubo de trasladarse a los Caños del Peral hasta la reconstrucción del edificio.

[3] Fue don Manuel del Inca Yupanqui quien le contó a Moratín, en carta del 22 de febrero de 1806, la impresión que la obra había causado en la nobleza zaragozana, hasta el extremo de organizar una representación en la que varios de sus miembros realizaron todos los papeles de la comedia.

[4] 'que llenan muchas hojas'; término despectivo, que alude sin duda a quienes rebutían los periódicos y revistas de la época con palabras, muchas palabras.

[5] La afirmación de Moratín no es cierta del todo. El *Memorial Literario* y la *Minerva o el Revisor General* publicaron cartas en contra y en pro de la obra. Pero es verdad que muchas críticas, como la de Bernardo García, y no pocas defensas, no fueron publicadas.

Por consiguiente, no podían bastar estos imperfectos desahogos a satisfacer la animosidad de los émulos del autor, ni el encono de los que resisten a toda ilustración y se obstinan en perpetuar las tinieblas de la ignorancia. Éstos acudieron al medio más cómodo, más pronto y más eficaz, y si no lograron el resultado que esperaban, no hay que atribuirlo a su poca diligencia. Fueron muchas las delaciones que se hicieron de esta comedia al tribunal de la Inquisición. Los calificadores tuvieron no poco que hacer en examinarlas y fijar su opinión acerca de los pasajes citados como reprensibles; y en efecto, no era pequeña dificultad hallarlos tales en una obra en que no existe ni una sola proposición opuesta al dogma ni a la moral cristiana.

Un ministro,[6] cuya principal obligación era la de favorecer los buenos estudios, hablaba el lenguaje de los fanáticos más feroces y anunciaba la ruina del autor de *El sí de las niñas* como la de un delincuente, merecedor de grave castigo. Tales son los obstáculos que han impedido frecuentemente en España el progreso rápido de las luces, y esta oposición poderosa han debido temer los que han dedicado en ella su aplicación y su talento a la indagación de verdades útiles y al fomento y esplendor de la literatura y de las artes. Sin embargo, la tempestad que amenazaba se disipó a la presencia del Príncipe de la Paz: su respeto contuvo el furor de los ignorantes y malvados hipócritas que, no atreviéndose por entonces a moverse, remitieron su venganza para ocasión más favorable.[7]

En cuanto a la ejecución de esta pieza, baste decir que los actores se esmeraron a porfía en acreditarla y que sólo excedieron al

[6] La alusión parece apuntar directamente a José Antonio Caballero, secretario de Gracia y Justicia, a quien recurrió el tal Bernardo García —autor de la *Carta crítica* y, según todos los indicios, testaferro de quienes tenían en su punto de mira no tanto a Moratín como a su valedor, el Príncipe de la Paz— para delatar la obra a la Inquisición. Caballero ordenó que el asunto pasara al inquisidor general el 14 de abril de 1807, y éste envió su informe el 4 de junio del mismo año, afirmando que la comedia «no contiene proposición ni cláusula alguna digna de censura teológica». Abolida la Inquisición bajo José I y vuelta a establecer con Fernando VII, el Santo Oficio, tras un proceso que duró cinco años, acabó incluyendo *El sí de las niñas* entre las obras prohibidas.

[7] No parece, sin embargo, que se preparara ninguna conspiración para boicotear el estreno, como había sucedido con obras anteriores del autor, a pesar de lo novelado por Galdós en *La corte de Carlos IV*, II.

mérito de los demás los papeles de D.ª Irene, D.ª Francisca y D. Diego. En el primero se distinguió María Ribera, por la inimitable naturalidad y gracia cómica con que supo hacerle. Josefa Virg rivalizó con ella en el suyo, y Andrés Prieto, nuevo entonces en los teatros de Madrid, adquirió el concepto de actor inteligente que hoy sostiene todavía con general aceptación.[8]

[8] Siete actores de segundo y tercer orden fueron los que participaron en el estreno, incluido este Andrés Prieto que vino expresamente para incorporarse a la representación. Las grandes figuras de la compañía —Rita Luna, María García, García Parra, Antonio Ponce, Antonio Pinto o Mariano Querol— quedaron fuera. Moratín no quería nombres, sino los actores más funcionales para su comedia.

PERSONAS

D. DIEGO	RITA
D. CARLOS	SIMÓN
D.ª IRENE	CALAMOCHA
D.ª FRANCISCA	

La escena es en una posada en Alcalá de Henares.[9]

El teatro representa una sala de paso con cuatro puertas de habitaciones para huéspedes, numeradas todas. Una más grande en el foro, con escalera que conduce al piso bajo de la casa. Ventana de antepecho a un lado. Una mesa en medio, con banco, sillas, etc.[10]

La acción empieza a las siete de la tarde y acaba a las cinco de la mañana siguiente.[11]

[9] Recuérdese que *La dama boba* de Lope comienza en una posada de Illescas y parte de la acción de *Entre bobos anda el juego*, especialmente la jornada segunda, transcurre en un mesón. De modo parecido a la sala con tres puertas en que se desarrolla *El señorito mimado* de Iriarte, aquí todo tiene lugar en una sala de paso en el primer piso de la posada.

[10] En oposición a las minuciosísimas descripciones de muchas comedias de la época, Moratín, como ya había hecho en sus obras anteriores, se reduce a lo esencial y realista. El resto del aparato teatral queda en manos de las indicaciones contenidas en el texto y del sentido común. Parecidos recursos habían propuesto Jovellanos e Iriarte.

[11] Las ediciones de 1805 y 1806 omiten esta acotación, lo mismo que sucede con la referencia a la duración temporal en *La comedia nueva*.

ACTO PRIMERO

ESCENA I

D. DIEGO, SIMÓN

Sale D. Diego de su cuarto. Simón, que está sentado en una silla, se levanta

D. DIEGO. ¿No han venido todavía?

SIMÓN. No, señor.

D. DIEGO. Despacio la han tomado, por cierto.

SIMÓN. Como su tía la quiere tanto, según parece, y no la ha visto desde que la llevaron a Guadalajara...

D. DIEGO. Sí. Yo no digo que no la viese, pero con media hora de visita y cuatro lágrimas estaba concluido.

SIMÓN. Ello también ha sido extraña determinación la de estarse usted dos días enteros sin salir de la posada.[12] Cansa el leer, cansa el dormir... Y, sobre todo, cansa la mugre del cuarto, las sillas desvencijadas, las estampas del hijo pródigo, el ruido de campanillas y cascabeles y la conversación ronca de carromateros y patanes, que no permiten un instante de quietud.[13]

D. DIEGO. Ha sido conveniente el hacerlo así. Aquí me conocen todos,[14] y no he querido que nadie me vea.

[12] Se ha señalado en varios lugares que no deja de constituir una contradicción la negativa de D. Diego a salir durante los dos primeros días de estancia —tal vez por sus dudas— y su repentino deseo de hacerlo más adelante. Precisamente, y a pesar de la justificación, es el primer hecho el que explica el segundo.

[13] *patanes*: 'hombres zafios, toscos y campesinos'. La mención del hijo pródigo fue tenida por irrespetuosa y constituyó el primero de los aspectos considerados por la Inquisición —tras su restablecimiento en 1814— para proponer la prohibición de la obra. La edición de la Academia de la Historia no lo modificó. En cuanto al estado deplorable de las posadas españolas, fue señalado por numerosos viajeros nacionales y foráneos. Ya en el siglo anterior era tópico repetido; así Lope en *La dama boba*, I, o Rojas Zorrilla, en *Entre bobos anda el juego*, II. El mismo Moratín le escribía a Jovellanos en 1787: «y lo que es peor, ¡qué mesones! ¡qué cocinas! ¡qué humos sulfúreos! ¡qué camas! ¡qué sillas! y lo que es peor aún ¡qué clérigos montaraces! ¡y qué posaderas javalinas!».

[14] Las ediciones de 1805 y 1806 explicitan quiénes son esos todos: «el corregidor, el señor abad, el visitador, el rector de Málaga». Al introducir

SIMÓN. Yo no alcanzo la causa de tanto retiro. Pues ¿hay más en esto que haber acompañado usted a D.ª Irene hasta Guadalajara para sacar del convento a la niña y volvernos con ellas a Madrid?[15]

D. DIEGO. Sí, hombre, algo más hay de lo que has visto.

SIMÓN. Adelante.

D. DIEGO. Algo, algo... Ello tú al cabo lo has de saber, y no puede tardarse mucho... Mira, Simón, por Dios te encargo que no lo digas... Tú eres hombre de bien y me has servido muchos años con fidelidad... Ya ves que hemos sacado a esa niña del convento y nos la llevamos a Madrid.[16]

SIMÓN. Sí, señor.

D. DIEGO. Pues bien... Pero te vuelvo a encargar que a nadie lo descubras.[17]

SIMÓN. Bien está, señor. Jamás he gustado de chismes.

D. DIEGO. Ya lo sé. Por eso quiero fiarme de ti. Yo, la verdad, nunca había visto a la tal D.ª Paquita. Pero, mediante la amistad con su madre, he tenido frecuentes noticias de ella; he leído muchas de las cartas que escribía; he visto algunas de su tía la monja, con quien ha vivido en Guadalajara; en suma, he tenido cuantos informes pudiera desear acerca de sus inclinaciones y su conducta. Ya he logrado verla; he procurado observarla en estos pocos días y, a decir verdad, cuantos elogios hicieron de ella me parecen escasos.

SIMÓN. Sí, por cierto... Es muy linda y...

D. DIEGO. Es muy linda, muy graciosa, muy humilde... Y, sobre todo, ¡aquel candor, aquella inocencia! Vamos, es de lo que no se encuentra por ahí... Y talento... Sí señor, mucho talen-

en otra variante al rector de Málaga en sustitución del padre guardián, Moratín tuvo que suprimirlo aquí.

Al señor abad (de la Colegiata o iglesia magistral de Santos Justo y Pastor) y al rector del Colegio Menor de Málaga —Juan de Atienza y Antonio Jabonero en sus días— los conocía y trataba personalmente Moratín, como atestigua su *Diario*, en sus numerosas paradas en Alcalá, camino de Pastrana. D. Diego tiene propiedades muy cerca de Alcalá (II, 10).

[15] Un crítico de la época señaló que Moratín, al mencionar un convento, sólo podía referirse al «único en Guadalajara en que se da educación a señoritas».

[16] Con más intención, el Arnolphe molieresco de *La escuela de las mujeres* había hecho educar a la niña en el convento para lograr las virtudes deseadas.

[17] También M. Damis, en Marivaux, *La escuela de las madres*, 13, se confabula en secreto con Frontin, criado de Mme. Argante.

to...[18] Conque, para acabar de informarte, lo que yo he pensado es...

SIMÓN. No hay que decírmelo.

D. DIEGO. ¿No? ¿Por qué?

SIMÓN. Porque ya lo adivino. Y me parece excelente idea.[19]

D. DIEGO. ¿Qué dices?

SIMÓN. Excelente.

D. DIEGO. ¿Conque al instante has conocido...?

SIMÓN. ¿Pues no es claro?... ¡Vaya!... Dígole a usted que me parece muy buena boda. Buena, buena.

D. DIEGO. Sí señor... Yo lo he mirado bien y lo tengo por cosa muy acertada.

SIMÓN. Seguro que sí.

D. DIEGO. Pero quiero absolutamente que no se sepa hasta que esté hecho.

SIMÓN. Y en eso hace usted bien.

D. DIEGO. Porque no todos ven las cosas de una manera, y no faltaría quien murmurase y dijese que era una locura y me...

SIMÓN. ¿Locura? ¡Buena locura!... ¿Con una chica como ésa, eh?

D. DIEGO. Pues ya ves tú. Ella es una pobre... Eso sí...[20] Pero yo no he buscado dinero, que dineros tengo. He buscado modestia, recogimiento, virtud.[21]

[18] Se ha señalado que el orden en que se relacionan las virtudes de D.ª Francisca refleja el poco aprecio que tenía el autor por la inteligencia femenina. No parece ser el caso.

[19] Un malentendido semejante al de Simón se encuentra en *El avaro* de Molière, donde Harpagon ensalza las virtudes de Mariane, y Cléante, que la ama, asiente creyéndola destinada para sí, hasta que descubre las verdaderas intenciones del avaro. También en *La escuela de las mujeres*, II, 4; pero ya antes Lope lo había utilizado en *La discreta enamorada*, donde Belisa —madre viuda— cree que el capitán Bernardo, al hablar de matrimonio, piensa en ella, cuando en realidad quiere casarse con la hija; o Tirso en *Marta la piadosa*, I, 16, donde el Alférez cree que el capitán Urbina quiere casarlo a él.

[20] Las ediciones de 1805 y 1806 añaden: «Porque, aquí entre los dos, la buena de D.ª Irene se ha dado tal prisa en gastar desde que murió su marido que, si no fuera por estas benditas religiosas y el canónigo de Castrojeriz, que es también su cuñado, no tendría para poner un puchero a la lumbre... Y muy vanidosa y muy remilgada, y hablando siempre de su parentela y de sus difuntos, y sacando unos cuentos allá que... Pero esto no es del caso...». La supresión parece justificada por el deseo de no anticipar demasiado lo que se va a demostrar ser el carácter de D.ª Irene.

[21] Relación de virtudes que vienen a resumir un ideal de esposa, más que de mujer.

SIMÓN. Eso es lo principal... Y, sobre todo, lo que usted tiene, ¿para quién ha de ser?

D. DIEGO. Dices bien... ¿Y sabes tú lo que es una mujer aprovechada, hacendosa, que sepa cuidar de la casa, economizar,[22] estar en todo?... Siempre lidiando con amas, que si una es mala, otra es peor, regalonas, entremetidas, habladoras, llenas de histérico,[23] viejas, feas como demonios... No señor, vida nueva. Tendré quien me asista con amor y fidelidad, y viviremos como unos santos... Y deja que hablen y murmuren y...[24]

SIMÓN. Pero, siendo a gusto de entrambos, ¿qué pueden decir?

D. DIEGO. No, yo ya sé lo que dirán, pero... Dirán que la boda es desigual, que no hay proporción en la edad, que...

SIMÓN. Vamos, que no me parece tan notable la diferencia. Siete u ocho años a lo más...

D. DIEGO. ¡Qué, hombre! ¿Qué hablas de siete u ocho años? Si ella ha cumplido diez y seis años pocos meses ha.

SIMÓN. Y bien, ¿qué?[25]

D. DIEGO. Y yo, aunque gracias a Dios estoy robusto y... Con todo eso, mis cincuenta y nueve años no hay quien me los quite.[26]

SIMÓN. Pero si yo no hablo de eso.

D. DIEGO. ¿Pues de qué hablas?

SIMÓN. Decía que... Vamos, o usted no acaba de explicarse o yo lo entiendo al revés... En suma, esta D.ª Paquita, ¿con quién se casa?

D. DIEGO. ¿Ahora estamos ahí? Conmigo.

SIMÓN. ¿Con usted?

D. DIEGO. Conmigo.

[22] 'hacer economías, recortar gastos y ahorrar', pero también 'llevar la economía doméstica'.

[23] *regalonas*: 'no acostumbradas al trabajo o fatiga'; *histérico*: 'relativo al útero', probablemente a los trastornos menopáusicos, usado como sustantivo masculino.

[24] El parlamento sintetiza los dos aspectos esenciales de la perspectiva matrimonial que se propone, racionalmente, el personaje: bienestar doméstico y realización afectiva.

[25] A la clarificación de las cosas sigue el silencio del criado, un silencio que debe entenderse aquí como de sorpresa reprobatoria. Más adelante, sin embargo, otros silencios reflejarán evasión, falta de confianza o ruptura de la comunicación.

[26] Como han señalado algunos críticos, D. Diego se encuentra en la edad convencionalmente tenida como límite que separa la madurez de la vejez. La relación con uno de los caprichos de Goya carece de sentido.

SIMÓN. ¡Medrados quedamos![27]

D. DIEGO. ¿Qué dices?... Vamos, ¿qué?

SIMÓN. ¡Y pensaba yo haber adivinado!

D. DIEGO. ¿Pues qué creías? ¿Para quién juzgaste que la destinaba yo?

SIMÓN. Para D. Carlos, su sobrino de usted, mozo de talento, instruido, excelente soldado, amabilísimo por todas sus circunstancias... Para ése juzgué que se guardaba la tal niña.[28]

D. DIEGO. Pues no señor.

SIMÓN. Pues bien está.

D. DIEGO. ¡Mire usted qué idea! ¡Con el otro la había de ir a casar!... No señor; que estudie sus matemáticas.[29]

SIMÓN. Ya las estudia; o, por mejor decir, ya las enseña.

D. DIEGO. Que se haga hombre de valor y...

SIMÓN. ¡Valor![30] ¿Todavía pide usted más valor a un oficial que en la última guerra, con muy pocos que se atrevieron a seguirle, tomó dos baterías, clavó los cañones, hizo algunos prisioneros y volvió al campo lleno de heridas y cubierto de sangre?...[31] Pues bien satisfecho quedó usted entonces del valor de su sobrino; y yo le vi a usted más de cuatro veces llorar de alegría cuando el rey le premió con el grado de teniente coronel y una cruz de Alcántara.[32]

[27] '¡Pues estamos bien!', con disgusto; «medrados estamos», dice Chanfalla en *El retablo de las maravillas*, de Cervantes.

[28] Se sugiere, en cierta medida, lo que va a ser contraste dramático de la obra: un joven soldado —profesión a la vez noble y teatral— al que se idealiza frente a un viejo que da la impresión de ser un déspota.

[29] Las matemáticas formaban parte de la educación de todo oficial, tanto de tierra como de marina, que había de cursar Geometría elemental, Aritmética y Trigonometría. Además, ayuda a perfilar con precisión la imagen de un caballero ilustrado. Sin embargo, la expresión parece valer más bien por 'que se dedique a sus cosas', y en ese sentido recuerda a Rousseau, *Confesiones*, VII, en su visita a cierta dama veneciana.

[30] Simón va a jugar con dos sentidos de la palabra, mérito y valentía, demostrando que D. Carlos posee la segunda con creces.

[31] La referencia a tal guerra no parece aludir a ningún conflicto específico, aunque hay quien ha creído reconocer la campaña de Gibraltar contra los ingleses. El período transcurrido entre la primera lectura de la obra y su representación —cinco años— impide una identificación concreta; *baterías*: 'agregado de algunas piezas de artillería'; *clavar los cañones*: 'meter por los fogones de las piezas unos clavos o hierros para que queden inutilizados'.

[32] El grado de teniente coronel conferido por el rey tenía carácter honorí-

D. DIEGO. Sí señor; todo es verdad, pero no viene a cuento. Yo soy el que me caso.

SIMÓN. Si está usted bien seguro de que ella le quiere, si no la asusta la diferencia de edad, si su elección es libre...[33]

D. DIEGO. ¿Pues no ha de serlo?...[34] ¿Y qué sacarían con engañarme? Ya ves tú la religiosa de Guadalajara si es mujer de juicio; esta de Alcalá, aunque no la conozco, sé que es una señora de excelentes prendas; mira tú si D.ª Irene querrá el bien de su hija: pues todas ellas me han dado cuantas seguridades puedo apetecer... La criada, que la ha servido en Madrid y más de cuatro años en el convento, se hace lenguas de ella;[35] y, sobre todo, me ha informado de que jamás observó en esta criatura la más remota inclinación a ninguno de los pocos hombres que ha podido ver en aquel encierro. Bordar, coser, leer libros devotos, oír misa y correr por la huerta detrás de las mariposas y echar agua en los agujeros de las hormigas, éstas han sido su ocupación y sus diversiones...[36] ¿Qué dices?

SIMÓN. Yo nada, señor.

D. DIEGO. Y no pienses tú que, a pesar de tantas seguridades,

fico, mientras que el grado efectivo de D. Carlos seguía siendo el de teniente. La ventaja que tal honor otorgaba era que, al conseguir el grado efectivo de teniente coronel, le contaba la antigüedad desde la fecha del nombramiento honorífico, con lo que se aceleraba su siguiente ascenso. Para que se le concediera la cruz, debió presentar pruebas de nobleza.

[33] Probablemente, Simón no hace sino recordarle a su amo lo que debe haberle escuchado decir en otras ocasiones, actuando como conciencia exterior de D. Diego. No deja de resultar paradójico que sea el criado el que pone en juego las ideas esenciales sobre el criterio que debe guiar el matrimonio: amor, aceptación —sobre todo por parte del/la más joven—, libre elección. Más adelante, serán éstos los argumentos que empleará D. Diego, aunque más estructurados y mejor desarrollados.

[34] La edición de 1805 añade: «D.ª Irene la escribió con anticipación sobre el particular. Hemos ido allá y me ha visto; la han informado de cuanto ha querido saber y ha respondido que está bien, que admite gustosa el partido que se la propone... Y ya ves tú con qué agrado me trata y qué expresiones me hace tan cariñosas y tan sencillas... Mira, Simón, si los matrimonios muy desiguales tienen por lo común desgraciada resulta, consiste en que alguna de las partes procede sin libertad, en que hay violencia, seducción, engaño, amenazas, tiranía doméstica... Pero aquí no hay nada de eso». La eliminación del párrafo responde al deseo de no acentuar la simulación de Paquita.

[35] 'la elogia constantemente'.

[36] Imita a Marivaux, *La escuela de las madres*, 6. D. Diego parece estar buscando seguridades que tranquilicen su mala conciencia.

no aprovecho las ocasiones que se presentan para ir ganando su amistad y su confianza y lograr que se explique conmigo en absoluta libertad... Bien que aún hay tiempo... Sólo que aquella D.ª Irene siempre la interrumpe; todo se lo habla... Y es muy buena mujer, buena...

SIMÓN. En fin, señor, yo desearé que salga como usted apetece.[37]

D. DIEGO. Sí, yo espero en Dios que no ha de salir mal. Aunque el novio no es muy de tu gusto... ¡Y qué fuera de tiempo me recomendabas al tal sobrinito! ¿Sabes tú lo enfadado que estoy con él?

SIMÓN. ¿Pues qué ha hecho?

D. DIEGO. Una de las suyas... Y hasta pocos días ha no lo he sabido. El año pasado, ya lo viste, estuvo dos meses en Madrid... Y me costó buen dinero la tal visita... En fin, es mi sobrino, bien dado está; pero voy al asunto. Llegó el caso de irse a Zaragoza, a su regimiento...[38] Ya te acuerdas de que a muy pocos días de haber salido de Madrid recibí la noticia de su llegada.

SIMÓN. Sí, señor.

D. DIEGO. Y que siguió escribiéndome, aunque algo perezoso, siempre con la data de Zaragoza.

SIMÓN. Así es la verdad.

D. DIEGO. Pues el pícaro no estaba allí cuando me escribía las tales cartas.

SIMÓN. ¿Qué dice usted?

D. DIEGO. Sí señor. El día tres de julio salió de mi casa y a fines de septiembre aún no había llegado a sus pabellones... ¿No te parece que para ir por la posta hizo muy buena diligencia?[39]

SIMÓN. Tal vez se pondría malo en el camino, y por no darle a usted una pesadumbre...

D. DIEGO. Nada de eso. Amores del señor oficial y devaneos

---

[37] Consideraba un crítico contemporáneo que el hombre inteligente ve aquí ya el fundamento de la comedia, adivinando el enredo y el fin moral.

[38] Algunos editores no han leído la preposición que precede a «su regimiento», pero *está* en el texto.

También Cadalso, oficial de caballería, tenía su regimiento en las cercanías de Zaragoza. Son notables las semejanzas entre el héroe de comedia y el personaje real.

[39] *ir por la posta*: 'viajar utilizando las postas o caballos de alquiler', es decir, 'ir deprisa'; *diligencia*: 'prontitud'. Por antífrasis, el significado no es otro que 'para ir deprisa, llegó muy tarde'.

que le traen loco... Por ahí, en esas ciudades, puede que... ¿Quién sabe?... Si encuentra un par de ojos negros, ya es hombre perdido... ¡No permita Dios que me le engañe alguna bribona de estas que truecan el honor por el matrimonio!

SIMÓN. ¡Oh! No hay que temer... Y si tropieza con alguna fullera de amor,[40] buenas cartas ha de tener para que le engañe.

D. DIEGO. Me parece que están ahí... Sí. Busca al mayoral y dile que venga para quedar de acuerdo en la hora a que deberemos salir mañana.[41]

SIMÓN. Bien está.

D. DIEGO. Ya te he dicho que no quiero que esto se trasluzca ni... ¿Estamos?

SIMÓN. No hay miedo que a nadie lo cuente.

(Simón se va por la puerta del foro. Salen por la misma las tres mujeres con mantillas y basquiñas.[42] Rita deja un pañuelo atado sobre la mesa y recoge las mantillas y las dobla.)[43]

ESCENA II

D.ª IRENE, D.ª FRANCISCA, RITA, D. DIEGO

D.ª FRANCISCA. Ya estamos acá.

D.ª IRENE. ¡Ay! ¡Qué escalera!

D. DIEGO. Muy bien venidas, señoras.

D.ª IRENE. ¿Conque usted, a lo que parece, no ha salido? (*Se sientan D.ª Irene y D. Diego.*)

D. DIEGO. No, señora. Luego, más tarde, daré una vueltecilla por ahí... He leído un rato. Traté de dormir, pero en esta posada no se duerme.

[40] 'que hace trampas en el juego'. De ahí el sentido de las «cartas» que ha de jugar.

[41] *mayoral*: 'el que gobierna el tiro de mulas o caballos'.

[42] 'especie de falda que usaban las mujeres sobre la ropa interior'. Moratín consideraba que la comedia española debía «llevar basquiña y mantilla», prendas características de la clase media, aludiendo a la necesidad de que se pintasen las costumbres nacionales, tal y como había hecho Lope en su tiempo.

[43] La crítica, aun considerando buena la exposición que tiene lugar a lo largo de la primera escena, ha considerado que está demasiado forzada por la necesidad, acumulando casualidades.

D.ª FRANCISCA. Es verdad que no... ¡Y qué mosquitos! ¡Mala peste en ellos! Anoche no me dejaron parar... Pero mire usted, mire usted (*Desata el pañuelo y manifiesta algunas cosas de las que indica el diálogo*) cuántas cosillas traigo. Rosarios de nácar, cruces de ciprés, la regla de San Benito, una pililla de cristal... Mire usted qué bonita. Y dos corazones de talco... ¡Qué sé yo cuánto viene aquí!... ¡Ay! y una campanilla de barro bendito para los truenos!...[44] ¡Tantas cosas!

D.ª IRENE. Chucherías que la han dado las madres.[45] Locas estaban con ella.

D.ª FRANCISCA. ¡Cómo me quieren todas! ¡Y mi tía, mi pobre tía lloraba tanto!... Es ya muy viejecita.

D.ª IRENE. Ha sentido mucho no conocer a usted.

D.ª FRANCISCA. Sí, es verdad. Decía: ¿por qué no ha venido aquel señor?

D.ª IRENE. El padre capellán y el rector de los Verdes nos han venido acompañando hasta la puerta.[46]

D.ª FRANCISCA. Toma, (*Vuelve a atar el pañuelo y se le da a Rita, la cual se va con él y con las mantillas al cuarto de D.ª Irene*) guárdamelo todo allí, en la escusabaraja.[47] Mira, llévalo así de las puntas... ¡Válgate Dios! ¡Eh! ¡Ya se ha roto la Santa Gertrudis de alcorza![48]

RITA. No importa; yo me la comeré.

[44] Relación de objetos que refleja, por parte de las mujeres de la comedia, un determinado sentimiento de la religiosidad, el que los ilustrados llamaban popular y que no estaba exento de fetichismo y superstición. En concreto, la campanilla contra los truenos y tormentas era costumbre muy extendida. El resto son objetos muy propios de la beatería nacional.

[45] La consideración de tales objetos como «chucherías» había inducido a un crítico a afirmar que no era «lo más pío ni benévolo» e hizo que la Inquisición la encontrase reprobable, al hablar «tan neciamente de cosas tan respetables», con el riesgo de que «vengan a servir de entretenimiento y risa del público». La Academia de la Historia no lo suprime. Evidentemente, ésa era la intención del autor. A la Inquisición, la lucha de los ilustrados contra las supersticiones populares, ya desde Feijoo, no le había hecho mella.

[46] El capellán y el rector de los Verdes lo eran del Colegio Menor de Santa Catalina, en la calle Libreros de Alcalá, próximo a la Puerta de los Mártires y, por tanto, de la posada en que se hallan los personajes. Había sido fundado por D.ª Catalina de Mendoza en 1580. Recibían tal apelativo por el color de sus mantos, en tanto que sus becas eran encarnadas.

[47] 'cesta grande de mimbre, con un dispositivo de seguridad que le permite ir cerrada con candado'.

[48] 'pasta de azúcar y almidón'; compárese J.F. Isla, *Fray Gerundio*, I, 10: «Dábale a Gerundio periquitos, ros-

ESCENA III

D.ª IRENE, D.ª FRANCISCA, D. DIEGO

D.ª FRANCISCA. ¿Nos vamos adentro, mamá, o nos quedamos aquí?

D.ª IRENE. Ahora, niña, que quiero descansar un rato.

D. DIEGO. Hoy se ha dejado sentir el calor en forma.[49]

D.ª IRENE. ¡Y qué fresco tienen aquel locutorio! Está hecho un cielo...[50] (*Siéntase D.ª Francisca junto a su madre.*) Mi hermana es la que sigue siempre bastante delicadita. Ha padecido mucho este invierno... Pero, vaya, no sabía qué hacerse con su sobrina la buena señora... Está muy contenta de nuestra elección.

D. DIEGO. Yo celebro que sea tan a gusto de aquellas personas a quienes debe usted particulares obligaciones.

D.ª IRENE. Sí, Trinidad está muy contenta; y en cuanto a Circuncisión, ya lo ha visto usted.[51] La ha costado mucho despegarse de ella, pero ha conocido que, siendo para su bienestar, es necesario pasar por todo... Ya se acuerda usted de lo expresiva que estuvo y...

D. DIEGO. Es verdad. Sólo falta que la parte interesada

quillas y alcorzas con que le habían regalado unas monjas, cuyo convento acababan de visitar».

49 'bien y cumplidamente'. El comentario sobre el calor, además de servir para ubicar la acción en un día de verano, refleja una de las características obsesiones moratinianas.

50 En las ediciones de 1805 y 1806, D.ª Francisca interrumpe aquí a su madre para decir; «Pues con todo (*Sentándose junto a D.ª Irene*), aquella monja tan gorda que se llamaba la madre Angustias bien que sudaba... ¡Ay, cómo sudaba la pobre mujer!», para devolver la palabra a D.ª Irene. La poco respetuosa alusión a la monja debió inducir a Moratín a suprimir el pasaje.

51 En una crítica contemporánea copiada a mano por el propio Moratín se dice: «Los nombres poco usitados de que se vale el autor para nombrar a ciertas monjas manifiestan sus deseos de hacer ridícula la buena práctica de los conventos en la adopción de los sobrenombres de santos», a lo que otro crítico le respondió considerándolo «hombre que no sabe distinguir las materias de religión de las de pura credulidad y superstición» e insistiendo en que «la tontería, la vana credulidad y el fanatismo son despreciables y perniciosos». El Santo Oficio los juzgaría irreverentes a causa del «sacro significado que llevan consigo». La edición de la Academia de la Historia los suprimió y convirtió a las monjas en «la tía de acá» y «la de allá».

tenga la misma satisfacción que manifiestan cuantos la quieren bien.[52]

D.ª IRENE. Es hija obediente y no se apartará jamás de lo que determine su madre.[53]

D. DIEGO. Todo eso es cierto, pero...

D.ª IRENE. Es de buena sangre y ha de pensar bien, y ha de proceder con el honor que la corresponde.

D. DIEGO. Sí, ya estoy; pero ¿no pudiera, sin falta a su honor ni a su sangre...?

D.ª FRANCISCA. ¿Me voy, mamá? (*Se levanta y vuelve a sentarse.*)[54]

D.ª IRENE. No pudiera, no señor. Una niña bien educada, hija de buenos padres, no puede menos de conducirse en todas ocasiones como es conveniente y debido. Un vivo retrato es la chica, ahí donde usted la ve, de su abuela que Dios perdone, D.ª Jerónima de Peralta...[55] En casa tengo el cuadro, ya le habrá usted visto. Y le hicieron, según me contaba su merced, para enviársele a su tío carnal, el padre fray Serapión de San Juan Crisóstomo, electo obispo de Mechoacán.[56]

D. DIEGO. Ya.[57]

D.ª IRENE. Y murió en el mar el buen religioso, que fue un quebranto para toda la familia... Hoy es y todavía estamos sintiendo su muerte; particularmente mi primo D. Cucu-

[52] El intento —indirecto— de D. Diego por averiguar la opinión y los sentimientos de Paquita choca con la palabrería, seguramente intencionada, de D.ª Irene.

[53] Es lo mismo que dice la mamá de Angélique en Marivaux, *La escuela de las madres*, 4.

[54] El gesto de la niña resulta altamente expresivo: ante la materia en que quiere entrar su futuro esposo y en cierto modo presa de un nerviosismo inevitable, no quiere seguir entre quienes tejen su futuro.

[55] Isabel de Peralta es el nombre de la protagonista de *Entre bobos anda el juego*.

[56] El nombre de Serapión debía resultarle especialmente sonoro y cómico a Moratín. En cuanto a San Juan Crisóstomo, había sido, como el tal Serapión, monje y obispo. El cargo de obispo electo de Mechoacán, en México, existía en la realidad. Por otra parte, en carta del 8 de noviembre de 1822, Moratín aconseja a la mamá de Paquita Muñoz que le cuente a su yerno «el viaje del Guárico y el de Veracruz, y aquello del obispo que tomó el brevaje del indio y cagó los kiries». Véase la nota 22 del acto I de *La comedia nueva*. El juego cómico de los nombres tiene precedentes en el *Quijote*, I, 1.

[57] El laconismo del comentario se basta y se sobra para reflejar el escepticismo de D. Diego ante el cúmulo de pretenciosas alusiones vertidas por D.ª Irene.

fate,[58] regidor perpetuo de Zamora, no puede oír hablar de Su Ilustrísima sin deshacerse en lágrimas.

D.ª FRANCISCA. ¡Válgate Dios, qué moscas tan...!

D.ª IRENE. Pues murió en olor de santidad.[59]

D. DIEGO. Eso bueno es.

D.ª IRENE. Sí señor; pero como la familia ha venido tan a menos... ¿Qué quiere usted? Donde no hay facultades...[60] Bien que, por lo que puede tronar, ya se le está escribiendo la vida; ¿y quién sabe que el día de mañana no se imprima con el favor de Dios?

D. DIEGO. Sí, pues ya se ve. Todo se imprime.[61]

D.ª IRENE. Lo cierto es que el autor, que es sobrino de mi hermano político, el canónigo de Castrojeriz,[62] no la deja de la mano; y a la hora de ésta lleva ya escritos nueve tomos en folio que comprenden los nueve años primeros de la vida del santo obispo.

D. DIEGO. ¿Conque para cada año un tomo?

D.ª IRENE. Sí señor, ese plan se ha propuesto.

D. DIEGO. ¿Y de qué edad murió el venerable?

D.ª IRENE. De ochenta y dos años, tres meses y catorce días.[63]

[58] Un crítico de la época juzgó el uso del nombre de Cucufate, en una comedia de prosa llana y natural, como «afectado e inverosímil».

[59] La Inquisición propuso que se suprimiese desde aquí hasta que D.ª Irene menciona la edad del santo varón. La Academia de la Historia no lo suprimió.

[60] Alude claramente —y no sin cierta ironía por parte del autor— a lo costoso de los procesos de beatificación y canonización. D.ª Isabel, en *Entre bobos anda el juego*, III, «no tiene un real / de dote».

[61] D. Eleuterio, en *La comedia nueva*, había dicho sobre su comedia: «¿Pues no se había de imprimir?». Es un modo de aludir a la facilidad con que cualquier engendro podía llegar a las imprentas —sobre lo que Moratín tuvo gran experiencia como corrector de comedias durante algún tiempo en 1800, y más aún su buen amigo Melón—. Asimismo, se alude al volumen de obras religiosas y vidas de santos, que seguía ocupando una gran parte de la producción impresa.

[62] Municipio de la provincia de Burgos, con no menos de cuatro iglesias en las que podía ser canónigo: las de San Juan, San Esteban, Santiago de los Caballeros y Santo Domingo. Toda la familia de D.ª Irene proviene, reside o tiene empleo en Castilla la Vieja.

[63] En una crítica de época copiada por el mismo Moratín se afirma que «se critica la extensión de las vidas de santos de un modo bastante insolente e inepto», aunque al mismo tiempo se reconoce que «hay algunas vidas de santos tan largas como las esperanzas del pobre».

D.ª FRANCISCA. ¿Me voy, mamá?

D.ª IRENE. Anda, vete. ¡Válgate Dios, qué prisa tienes!

D.ª FRANCISCA. ¿Quiere usted (*Se levanta y, después de hacer una graciosa cortesía a D. Diego, da un beso a D.ª Irene y se va al cuarto de ésta*) que le haga una cortesía a la francesa, señor D. Diego?

D. DIEGO. Sí, hija mía. A ver.

D.ª FRANCISCA. Mire usted, así.

D. DIEGO. ¡Graciosa niña! ¡Viva la Paquita, viva![64]

D.ª FRANCISCA. Para usted una cortesía, y para mi mamá un beso.[65]

ESCENA IV

D.ª IRENE, D. DIEGO

D.ª IRENE. Es muy gitana y muy mona,[66] mucho.

D. DIEGO. Tiene un donaire natural que arrebata.

D.ª IRENE. ¿Qué quiere usted? Criada sin artificio ni embelecos de mundo,[67] contenta de verse otra vez al lado de su madre, y mucho más de considerar tan inmediata su colocación, no es maravilla que cuanto hace y dice sea una gracia, y *máxime* a los ojos de usted, que tanto se ha empeñado en favorecerla.

D. DIEGO. Quisiera sólo que se explicase libremente acerca de nuestra proyectada unión, y...

D.ª IRENE. Oiría usted lo mismo que le he dicho ya.

D. DIEGO. Sí, no lo dudo; pero el saber que la merezco algu-

[64] El entusiasmo de D. Diego, expresado de manera algo distante a las actuales, revela la atracción a un tiempo física y afectiva que siente. Está enamorado, tal vez sin saberlo y sin quererlo.

[65] Un crítico contemporáneo consideró que esta doble despedida constituía, por parte de la niña, una «truhanería o picardigüela».

[66] *gitana*: 'halagüeña y cariñosa'; el sustantivo *mono* pasó a adjetivo a lo largo del siglo XVIII como resultado de la afectación gestual de las damas y de la afición a los animales de compañía, entre los que los monos gozaban de cierta preferencia.

[67] Imita un fragmento del diálogo entre Angélique y su madre en Marivaux, *La escuela de las madres*, 5. En un siglo que por algunos es tenido como ejemplo de afectación, los elogios de la naturalidad proliferan en su literatura. No es una paradoja sino que refleja la realidad de la época, algo más compleja de lo que se cree.

na inclinación, oyéndoselo decir con aquella boquilla tan graciosa que tiene, sería para mí una satisfacción imponderable.[68]

D.ª IRENE. No tenga usted sobre ese particular la más leve desconfianza, pero hágase usted cargo de que a una niña no la es lícito decir con ingenuidad[69] lo que siente. Mal parecería, señor D. Diego, que una doncella de vergüenza y criada como Dios manda se atreviese a decirle a un hombre: yo le quiero a usted.

D. DIEGO. Bien; si fuese un hombre a quien hallara por casualidad en la calle y le espetara ese favor de buenas a primeras,[70] cierto que la doncella haría muy mal; pero a un hombre con quien ha de casarse dentro de pocos días, ya pudiera decirle alguna cosa que... Además, que hay ciertos modos de explicarse...[71]

D.ª IRENE. Conmigo usa de más franqueza. A cada instante hablamos de usted, y en todo manifiesta el particular cariño que a usted le tiene... ¡Con qué juicio hablaba ayer noche, después que usted se fue a recoger! No sé lo que hubiera dado porque hubiese podido oírla.

D. DIEGO. ¿Y qué? ¿Hablaba de mí?

D.ª IRENE. Y qué bien piensa acerca de lo preferible que es para una criatura de sus años un marido de cierta edad, experimentado, maduro, y de conducta...[72]

D. DIEGO. ¡Calle! ¿Eso decía?

D.ª IRENE. No, esto se lo decía yo, y me escuchaba con una atención como si fuera una mujer de cuarenta años, lo mismo... ¡Buenas cosas la dije! Y ella, que tiene mucha penetración aunque me esté mal el decirlo... ¿Pues no da lástima, señor, el ver cómo se hacen los matrimonios hoy en el día? Casan a una muchacha de quince años con un arrapiezo de diez y ocho,[73] a una de diez y siete con otro de veinte y dos; ella niña, sin juicio ni experien-

[68] Imita un diálogo entre M. Damis y Mme. Argante en Marivaux, *La escuela de las madres*, II.

[69] 'sinceridad'.

[70] *favor*: 'expresión de agrado que suelen hacer las damas'.

[71] Asegurado el beneplácito de la madre y demás familiares, lo que reclama D. Diego es una manifestación directa del amor de la niña. Las palabras de D.ª Irene, sin embargo, van a satisfacer algo que ella ha entrevisto con claridad: el deseo de afecto de D. Diego y su anhelo de resultar agradable a los ojos de Paquita.

[72] Imitación de Molière, *El avaro*, II, 5, donde Frosine adopta la misma actitud hacia los matrimonios entre jóvenes para sacarle dinero a Harpagon. Es rasgo que también incorpora Marivaux, *La escuela de las madres*, 5.

[73] *arrapiezo*: 'persona de corta edad', despectivamente.

cia, y él niño también, sin asomo de cordura ni conocimiento de lo que es mundo. Pues, señor (que es lo que yo digo), ¿quién ha de gobernar la casa? ¿Quién ha de enseñar y corregir a los hijos? Porque sucede también que estos atolondrados de chicos suelen plagarse de criaturas en un instante, que da compasión.[74]

D. DIEGO. Cierto que es un dolor el ver rodeados de hijos a muchos que carecen del talento, de la experiencia y de la virtud que son necesarias para dirigir su educación.[75]

D.ª IRENE. Lo que sé decirle a usted es que aún no había cumplido los diez y nueve cuando me casé de primeras nupcias con mi difunto D. Epifanio que esté en el cielo.[76] Y era un hombre que, mejorando lo presente, no es posible hallarle de más respeto, más caballeroso... Y, al mismo tiempo, más divertido y decidor.[77] Pues, para servir a usted, ya tenía los cincuenta y seis, muy largos de talle,[78] cuando se casó conmigo.

D. DIEGO. Buena edad... No era un niño, pero...

D.ª IRENE. Pues a eso voy. Ni a mí podía convenirme en aquel entonces un boquirrubio con los cascos a la jineta...[79] No señor... Y no es decir tampoco que estuviese achacoso ni quebrantado de salud, nada de eso. Sanito estaba, gracias a Dios, como una manzana; ni en su vida conoció otro mal sino una especie de alferecía[80] que le amagaba de cuando en cuando. Pero, luego que nos casamos, dio en darle tan a menudo y tan de recio que a los siete meses me hallé viuda y encinta de una criatura que nació después y al cabo y al fin se me murió de alfombrilla.[81]

[74] Es la misma idea que, con otro tono y finalidad, aparecerá en Larra, «El casarse pronto y mal».

[75] Anacoluto en la concordancia, pues debiera ser masculino; probablemente a causa del género de los dos últimos sustantivos mencionados.

[76] D.ª Irene intenta convencer a D. Diego de que a una chica como Paquita le conviene un hombre de edad; se pone ella misma como ejemplo para ilustrar su opinión, pero de hecho acaba demostrando todo lo contrario de lo que pretendía. La mamá de Paquita Muñoz también estaba casada en segundas nupcias, compartiendo con D.ª Irene algunos rasgos comunes. Introduce, de paso, un tema vital para el novio: los hijos.

[77] 'que habla con facilidad y gracejo'.

[78] 'bien cumplidos', metafóricamente, es decir, muy cerca de los cincuenta y siete.

[79] *boquirrubio*: 'mozalbete presumido de lindo y enamorado'; *con los cascos a la jineta*: 'de poco asiento o reflexión'.

[80] 'enfermedad infantil caracterizada por convulsiones y pérdida de conocimiento'.

[81] 'especie de sarampión, pero sin síntomas catarrales; escarlatina'.

D. DIEGO. ¡Oiga!... Mire usted si dejó sucesión el bueno de D. Epifanio.

D.ª IRENE. Sí señor, ¿pues por qué no?

D. DIEGO. Lo digo porque luego saltan con...[82] Bien que si uno hubiera de hacer caso... ¿Y fue niño o niña?

D.ª IRENE. Un niño muy hermoso. Como una plata era el angelito.

D. DIEGO. Cierto que es consuelo tener, así, una criatura y...

D.ª IRENE. ¡Ay, señor! Dan malos ratos, ¿pero qué importa? Es mucho gusto, mucho.

D. DIEGO. Ya lo creo.

D.ª IRENE. Sí señor.

D. DIEGO. Ya se ve que será una delicia y...

D.ª IRENE. ¿Pues no ha de ser?

D. DIEGO. ... un embeleso el verlos juguetear y reír, y acariciarlos, y merecer sus fiestecillas inocentes.[83]

D.ª IRENE. ¡Hijos de mi vida! Veinte y dos he tenido en los tres matrimonios que llevo hasta ahora, de los cuales sólo esta niña me ha venido a quedar; pero le aseguro a usted que...[84]

[82] Los puntos suspensivos dejan en el aire la preocupación de D. Diego sobre su potencial paternidad. Es rasgo que también aparece en Marivaux, *La escuela de las madres*, 7.

[83] Puede relacionarse sin duda esta actitud hacia los niños con la del propio Moratín, como ya se ha indicado en la nota 11 al acto II de *La comedia nueva*. Algún crítico ha señalado que D. Diego habla más como abuelo que como padre, aunque también se ha sostenido que no hace sino afirmar su aspiración a la paternidad y sus pretensiones como amante.

[84] La cifra de veintidós parece exageración cómica —aunque no inverosímil—, pero sirve para subrayar la alta mortalidad infantil de la época. Moratín perdió a sus tres hermanos a temprana edad y Cadalso explica en su *Autobiografía* que «entre los [hijos] de su matrimonio y los de las primeras nupcias, me dio mi abuelo un padre y veinte y ocho tíos y tías, de los cuales la mayor parte han muerto, quedando sólo dos, uno muy rico y feliz, y otro muy triste y pobre»; el «hasta ahora» de D.ª Irene deja abierta —cómicamente— la posibilidad de nuevos enlaces.

ESCENA V

SIMÓN, D.ª IRENE, D. DIEGO

SIMÓN. (*Sale por la puerta del foro.*) Señor, el mayoral está esperando.

D. DIEGO. Dile que voy allá... ¡Ah! Tráeme primero el sombrero y el bastón, que quisiera dar una vuelta por el campo. (*Entra Simón al cuarto de D. Diego, saca un sombrero y un bastón, se los da a su amo y, al fin de la escena, se va con él por la puerta del foro.*) Conque supongo que mañana tempranito saldremos.

D.ª IRENE. No hay dificultad. A la hora que a usted le parezca.

D. DIEGO. A eso de las seis, ¿eh?

D.ª IRENE. Muy bien.

D. DIEGO. El sol nos da de espaldas... Le diré que venga una media hora antes.

D.ª IRENE. Sí, que hay mil chismes que acomodar.

ESCENA VI

D.ª IRENE, RITA

D.ª IRENE. ¡Válgame Dios! Ahora que me acuerdo... ¡Rita!... Me le habrán dejado morir. ¡Rita!

RITA. Señora. (*Saca debajo del brazo almohadas y sábanas.*)

D.ª IRENE. ¿Qué has hecho del tordo?[85] ¿Le diste de comer?

RITA. Sí, señora. Más ha comido que un avestruz. Ahí le puse en la ventana del pasillo.

D.ª IRENE. ¿Hiciste las camas?

RITA. La de usted ya está. Voy a hacer esotras antes que anochezca porque si no, como no hay más alumbrado que el del candil y no tiene garabato,[86] me veo perdida.

D.ª IRENE. Y aquella chica ¿qué hace?

[85] Algún crítico consideró que la aparición del tordo en la comedia no tenía ninguna justificación, o que toda su función es jugar a la casualidad para lo que sucederá en III, 2, pero tiene valores de más enjundia.

[86] 'gancho para colgar'.

RITA. Está desmenuzando un bizcocho para dar de cenar a D. Periquito.[87]

D.ª IRENE. ¡Qué pereza tengo de escribir! (*Se levanta y se entra en su cuarto.*) Pero es preciso, que estará con mucho cuidado la pobre Circuncisión.

RITA. ¡Qué chapucerías! No ha dos horas, como quien dice, que salimos de allá y ya empiezan a ir y venir correos. ¡Qué poco me gustan a mí las mujeres gazmoñas y zalameras![88] (*Éntrase en el cuarto de D.ª Francisca.*)

ESCENA VII

CALAMOCHA

Sale por la puerta del foro con unas maletas, botas y látigos. Lo deja todo sobre la mesa y se sienta

¿Conque ha de ser el número tres?[89] Vaya en gracia... Ya, ya conozco el tal número tres. Colección de bichos más abundante no la tiene el Gabinete de Historia Natural...[90] Miedo me da de entrar... ¡Ay, ay!... ¡Y qué agujetas! Éstas sí que son agujetas... Paciencia, pobre Calamocha, paciencia... Y gracias a que los caballitos dijeron: no podemos más, que si no, por esta vez no veía yo el número tres, ni las plagas de Faraón que tiene dentro...[91]

[87] Este modo de personificar al pájaro pretende contribuir a su individualización, a la vez que responde a una tradición plasmada en Berceo, cuyas obras conocía Moratín en la edición de Tomás Antonio Sánchez (1779-1790).

[88] 'que afectan virtud y adulan en exceso'.

[89] Se refiere sin duda al de la habitación que les han dado en la posada. Recuérdese que las puertas están «numeradas» todas.

[90] Institución fundada por Carlos III en 1771 sobre la base de las colecciones de D. Pedro Franco Dávila, nombrado su director vitalicio. Se estableció en la calle de Alcalá y pronto pasó al edificio del actual Museo del Prado. Se convirtió en el Museo de Ciencias Naturales de Madrid. Clavijo y Fajardo, que había traducido la *Historia natural* de Buffon, llegó a ser su vicedirector en 1785. Moratín lo solía frecuentar de joven, y siguió haciéndolo después.

[91] En *Éxodo*, 7, 8 y 10, se mencionan, entre las diez plagas que azotaron Egipto, la segunda, que fue de ranas, la tercera, de mosquitos, la cuarta, de tábanos, y la octava, de langostas. Comenta Cabellera, *Entre bobos anda el juego*, II: «Pulgas lleva el don Luisillo; / pero no me maravillo, / que hay muchas en el mesón».

En fin, como los animales amanezcan vivos, no será poco...[92] Reventados están... (*Canta Rita desde adentro. Calamocha se levanta desperezándose.*) ¡Oiga!... ¿Seguidillitas?... Y no canta mal... Vaya, aventura tenemos... ¡Ay, qué desvencijado estoy!

ESCENA VIII

RITA, CALAMOCHA

RITA. Mejor es cerrar, no sea que nos alivien la ropa y...[93] (*Forcejeando para echar la llave.*) Pues cierto que está bien acondicionada la llave.

CALAMOCHA. ¿Gusta usted de que eche una mano,[94] mi vida?

RITA. Gracias, mi alma.

CALAMOCHA. ¡Calle!... ¡Rita!

RITA. ¡Calamocha!

CALAMOCHA. ¿Qué hallazgo es éste?

RITA. ¿Y tu amo?

CALAMOCHA. Los dos acabamos de llegar.

RITA. ¿De veras?

CALAMOCHA. No, que es chanza.[95] Apenas recibió la carta de D.ª Paquita, yo no sé adónde fue ni con quién habló ni cómo lo dispuso; sólo sé decirte que aquella tarde salimos de Zaragoza. Hemos venido como dos centellas por ese camino. Llegamos esta mañana a Guadalajara y, a las primeras diligencias, nos hallamos con que los pájaros volaron ya. A caballo otra vez, y vuelta a correr y a sudar y a dar chasquidos... En suma, molidos los rocines y nosotros a medio moler, hemos parado aquí con ánimo de salir mañana... Mi teniente se ha ido al Colegio Mayor a ver a

[92] Aprovecha para aludir a la quinta plaga (*Éxodo*, 9), que consistió en una peste exterminadora de todo el ganado (caballos, asnos, camellos, vacas y ovejas) de los egipcios.

[93] *alivien*: 'quiten, roben'. A las malas condiciones higiénicas, el calor y el ruido de la posada, se suma el riesgo que corren los viajeros de ser objeto del robo. Lo cual no debía de ser poco frecuente.

[94] Juega, aunque Rita parece no percibirlo, con la ambivalencia de la expresión: ayudar o simplemente tocar. Este diálogo fue tenido por un crítico de la época por inverosímil, ya que no se menciona en ningún momento el nombre del novio.

[95] Evidente antífrasis.

un amigo mientras se dispone algo que cenar...[96] Ésta es la historia.

RITA. ¿Conque le tenemos aquí?

CALAMOCHA. Y enamorado más que nunca, celoso, amenazando vidas... Aventurado a quitar el hipo a cuantos le disputen la posesión de su Currita idolatrada.[97]

RITA. ¿Qué dices?

CALAMOCHA. Ni más ni menos.

RITA. ¡Qué gusto me das!... Ahora sí se conoce que la tiene amor.

CALAMOCHA. ¿Amor?... ¡Friolera!... El moro Gazul fue para con él un pelele, Medoro un zascandil y Gaiferos un chiquillo de la doctrina.[98]

RITA. ¡Ay, cuando la señorita lo sepa!

CALAMOCHA. Pero acabemos. ¿Cómo te hallo aquí? ¿Con quién estás? ¿Cuándo llegaste? Que...

RITA. Yo te lo diré. La madre de D.ª Paquita dio en escribir cartas y más cartas diciendo que tenía concertado su casamiento en Madrid con un caballero rico, honrado, bien quisto,[99] en suma, cabal y perfecto, que no había más que apetecer. Acosada la señorita con tales propuestas y angustiada incesantemente con los sermones de aquella bendita monja,[100] se vio en la necesidad

[96] Sólo puede aludir al Colegio Mayor de San Ildefonso, en Alcalá, fundado por el cardenal Cisneros y abierto en 1508. La amistad colegial de D. Carlos es otro elemento que redunda en la caracterización social del personaje.

[97] *Currita*: diminutivo cariñoso de Francisca. La verborrea chulesca del asistente, muy en la tradición del criado áureosecular, hiperboliza la predisposición del galán, pero ayuda a percibir el sentimiento apasionado del joven.

[98] *Gazul* figura en algunos romances, señaladamente en los que incluyó Pérez de Hita en *Las guerras civiles de Granada*, lectura infantil de Moratín, donde se le presenta como «el valeroso Gazul» enamorado «de su dama Lindaraja»; *Medoro*, el moro de ojos negros, es personaje de *Orlando furioso*, donde se le pinta amante, amado y esposo de Angélica, princesa de Catay por quien luchara Orlando y de quien se enamoró Reinaldo, y sobre cuyos amores escribió Góngora un hermoso romance; *Gaiferos* es primo de Roldán y protagonista de algunos romances seudocarolingios, como el que comienza «Asentado está Gaiferos / en el palacio real»: locamente enamorado de su esposa Melisendra, aparece en el *Quijote*, II, 26; *chiquillo de la doctrina*: 'el que recibe las primeras letras', aquí en el sentido de ser meros aprendices de amante.

[99] 'querido', adjetivo verbal que sólo se usa con *bien* o *mal.*

[100] La Academia de la Historia la dejó en simple «tía».

de responder que estaba pronta a todo lo que la mandasen... Pero no te puedo ponderar cuánto lloró la pobrecita, qué afligida estuvo. Ni quería comer, ni podía dormir...[101] Y, al mismo tiempo, era preciso disimular para que su tía no sospechara la verdad del caso. Ello es que cuando, pasado el primer susto, hubo lugar de discurrir escapatorias y arbitrios,[102] no hallamos otro que el de avisar a tu amo, esperando que, si era su cariño tan verdadero y de buena ley como nos había ponderado, no consentiría que su pobre Paquita pasara a manos de un desconocido, y se perdiesen para siempre tantas caricias, tantas lágrimas y tantos suspiros estrellados en las tapias del corral. A pocos días de haberle escrito, cata el coche de colleras y el mayoral Gasparet con sus medias azules, y la madre y el novio que vienen por ella.[103] Recogimos a toda prisa nuestros meriñaques,[104] se atan los cofres, nos despedimos de aquellas buenas mujeres y en dos latigazos llegamos antes de ayer a Alcalá. La detención ha sido para que la señorita visite a otra tía monja que tiene aquí, tan arrugada y tan sorda como la que dejamos allá. Ya la ha visto, ya la han besado bastante, una por una, todas las religiosas, y creo que mañana temprano saldremos. Por esta casualidad nos...

CALAMOCHA. Sí. No digas más... Pero... ¿Conque el novio está en la posada?

RITA. Ése es su cuarto (*Señalando el cuarto de D. Diego, el de D.ª Irene y el de D.ª Francisca*), éste el de la madre y aquél el nuestro.[105]

CALAMOCHA. ¿Cómo nuestro? ¿Tuyo y mío?[106]

[101] Otro simple detalle que permite intuir la fuerza de la pasión amorosa que sienten los jóvenes.

[102] 'medios extraordinarios para conseguir un fin'.

[103] *cata*: 'mira, ve'; *coche de colleras*: 'carruaje tirado habitualmente por seis mulas o caballos aparejados con colleras'; *Gasparet* es diminutivo, catalán o de influencia catalana, de Gaspar, con el que se da nombre e individualiza al mayoral; Guadalajara era posta obligada en el camino de Aragón y Cataluña.

[104] 'falda interior rígida y amplia, a veces con aros'; por extensión, 'pertenencias'.

[105] También D.ª Isabel, en *Entre bobos anda el juego*, duerme en la venta con su criada. Claro que allí no podía dormir con su padre. Señaló un crítico contemporáneo que «es muy raro que la señora D.ª Paquita durmiese en el cuarto de la criada, siendo más regular que lo hiciese en el de su madre, particularmente en un mesón, y así se hubiera quizá evitado el pasito de la música, el cuchicheo desde la ventana y la tiradura de la carta; pero ésta era la única escapatoria del poeta».

[106] Equívoco fácil, muy en la línea de la tradición barroca, pero restringido a los criados.

RITA. No, por cierto. Aquí dormiremos esta noche la señorita y yo; porque ayer, metidas las tres en ése de enfrente, ni cabíamos de pie, ni pudimos dormir un instante, ni respirar siquiera.

CALAMOCHA. Bien. Adiós. (*Recoge los trastos que puso sobre la mesa en ademán de irse.*)

RITA. ¿Y adónde?

CALAMOCHA. Yo me entiendo...[107] Pero el novio ¿trae consigo criados, amigos o deudos que le quiten la primera zambullida que le amenaza?[108]

RITA. Un criado viene con él.

CALAMOCHA. ¡Poca cosa!... Mira, dile en caridad que se disponga,[109] porque está de peligro.[110] Adiós.

RITA. ¿Y volverás presto?

CALAMOCHA. Se supone. Estas cosas piden diligencia, y, aunque apenas puedo moverme, es necesario que mi teniente deje la visita y venga a cuidar de su hacienda, disponer el entierro de ese hombre y...[111] ¿Conque ése es nuestro cuarto, eh?

RITA. Sí. De la señorita y mío.

CALAMOCHA. ¡Bribona!

RITA. ¡Botarate! Adiós.

CALAMOCHA. Adiós, aborrecida.[112] (*Éntrase con los trastos en el cuarto de D. Carlos.*)

107 Sintagma muy frecuente en la comedia del Siglo de Oro, con funciones y sentidos diferentes.

108 *zambullida*: 'treta de esgrima para dirigir la espada al corazón del adversario'.

109 Elípticamente, a bien morir. O sea, que se vaya encomendando a Dios, pues poca vida le queda.

110 'está en peligro'. Algunos giros de *estar* junto a *de*, habituales todavía en el XVIII, han cambiado el régimen preposicional.

111 «Calamocha parodia a los galanes enamorados tradicionales tales como los veían los neoclásicos, esto es, como unos perdonavidas mezcla de quijotes y de majos» (Andioc).

112 Existe un evidente paralelismo —aunque aquí en clave cómica— con la despedida entre D. Carlos y D.ª Francisca en II, 9. Los términos que usan son propios de las clases bajas, con lo que se da al diálogo cierto desenfado que en el XVIII se llamaría «aire de taco».

ESCENA IX

D.ª FRANCISCA, RITA

RITA. ¡Qué malo es!... Pero... ¡Válgame Dios! ¡D. Félix aquí!... Sí, la quiere, bien se conoce... (*Sale Calamocha del cuarto de D. Carlos y se va por la puerta del foro.*) ¡Oh! Por más que digan, los hay muy finos,[113] y entonces ¿qué ha de hacer una?... Quererlos, no tiene remedio, quererlos... ¿Pero qué dirá la señorita cuando le vea, que está ciega por él? ¡Pobrecita! ¿Pues no sería una lástima que?... Ella es.

D.ª FRANCISCA. ¡Ay, Rita!

RITA. ¿Qué es eso? ¿Ha llorado usted?

D.ª FRANCISCA. ¿Pues no he de llorar? Si vieras mi madre... Empeñada está en que he de querer mucho a ese hombre... Si ella supiera lo que sabes tú, no me mandaría cosas imposibles... Y que es tan bueno, y que es rico, y que me irá tan bien con él... Se ha enfadado tanto, y me ha llamado picarona, inobediente... ¡Pobre de mí! Porque no miento ni sé fingir, por eso me llaman picarona.[114]

RITA. Señorita, por Dios, no se aflija usted.

D.ª FRANCISCA. Ya, como tú no la has oído... Y dice que D. Diego se queja de que yo no le digo nada... Harto le digo, y bien he procurado hasta ahora mostrarme contenta delante de él, que no lo estoy, por cierto, y reírme y hablar niñerías... Y todo por dar gusto a mi madre, que si no... Pero bien sabe la Virgen que no me sale del corazón.

(*Se va oscureciendo lentamente el teatro.*)[115]

RITA. Vaya, vamos, que no hay motivos todavía para tanta angustia... ¡Quién sabe!... ¿No se acuerda usted ya de aquel día

[113] *fino*: 'amoroso, seguro, constante y fiel'.

[114] Clara, de *La mojigata*, había adoptado la actitud de fingir y mentir como resultado de la opresión paterna —aunque ello no la eximiera, a los ojos de Moratín, de su propia responsabilidad— y como única vía de escape y relativa conquista de libertad. No es el caso de Paquita, cuya simulación es puramente circunstancial.

[115] La acotación, que no deja de ser importante tanto dramática como simbólicamente, no aparece en las primeras ediciones.

de asueto que tuvimos el año pasado en la casa de campo del intendente?[116]

D.ª FRANCISCA. ¡Ay! ¿Cómo puedo olvidarlo?... ¿Pero qué me vas a contar?

RITA. Quiero decir que aquel caballero que vimos allí con aquella cruz verde,[117] tan galán, tan fino...

D.ª FRANCISCA. ¡Qué rodeos!... D. Félix. ¿Y qué?

RITA. Que nos fue acompañando hasta la ciudad...

D.ª FRANCISCA. Y bien... Y luego volvió, y le vi, por mi desgracia, muchas veces... Mal aconsejada de ti.[118]

RITA. ¿Por qué, señora?... ¿A quién dimos escándalo? Hasta ahora nadie lo ha sospechado en el convento. Él no entró jamás por las puertas y, cuando de noche hablaba con usted, mediaba entre los dos una distancia tan grande que usted la maldijo no pocas veces...[119] Pero esto no es del caso. Lo que voy a decir es que un amante como aquél no es posible que se olvide tan presto de su querida Paquita... Mire usted que todo cuanto hemos leído a hurtadillas en las novelas no equivale a lo que hemos visto en él...[120] ¿Se acuerda usted de aquellas tres palmadas que se oían entre once y doce de la noche, de aquella sonora punteada con tanta delicadeza y expresión?[121]

[116] Intendente del ejército sobre el que se volverá a hablar en III, 10.

[117] La propia de la orden de Alcántara, mencionada en I, 1. Debía llamarse verde por el peral de ese color que figuraba en su centro. La *Crónica de Don Juan II* cuenta cómo el rey le pidió al papa que mandase los caballeros de Alcántara «traxesen cruces verdes como los de Calatrava las traían coloradas». La relación entre D. Carlos y este amante de Paquita podía realizarla ya todo espectador que conociera el detalle.

[118] Paquita subraya el papel negativo como mala consejera de la criada, que en la tradición de la comedia áureosecular se había convertido en un lugar común. Al mismo tiempo que resalta su inocencia, aparece con más claridad lo fulgurante de su amor.

[119] Las palabras de Rita ponen de relieve el carácter público o social de lo que ella entiende por «escándalo», la honestidad pese a todo de las relaciones entre los jóvenes y, contra la idea dada a entender por Paquita sobre el papel de la criada en estos amoríos, el interés de la joven por D. Carlos.

[120] Debe de referirse a las abundantes novelas francesas e inglesas que circulaban traducidas; o, como parece sugerir una variante de *La mojigata*, a las novelas amorosas de María de Zayas y Pérez de Montalbán. También Clara, en *La mojigata*, leía a escondidas la misma clase de literatura: «historias / de amor, obrillas ligeras, / novelas entretenidas, / filosóficas, amenas, / donde predicando siempre / virtud, corrupción se enseña» (I, 1).

[121] *sonora*: 'instrumento de cuerda, más pequeño que la guitarra, muy semejante a la bandurria'.

D.ª FRANCISCA. ¡Ay, Rita! Sí, de todo me acuerdo, y mientras viva conservaré la memoria... Pero está ausente... Y entretenido acaso con nuevos amores.

RITA. Eso no lo puedo yo creer.

D.ª FRANCISCA. Es hombre, al fin, y todos ellos...

RITA. ¡Qué bobería! Desengáñese usted, señorita. Con los hombres y las mujeres sucede lo mismo que con los melones de Añover.[122] Hay de todo; la dificultad está en saber escogerlos.[123] El que se lleve chasco en la elección quéjese de su mala suerte, pero no desacredite la mercancía... Hay hombres muy embusteros, muy picarones; pero no es creíble que lo sea el que ha dado pruebas tan repetidas de perseverancia y amor. Tres meses duró el terrero y la conversación a oscuras,[124] y en todo aquel tiempo bien sabe usted que no vimos en él una acción descompuesta ni oímos de su boca una palabra indecente ni atrevida.

D.ª FRANCISCA. Es verdad. Por eso le quise tanto, por eso le tengo tan fijo aquí... aquí... (*Señalando el pecho.*) ¿Qué habrá dicho al ver la carta?... ¡Oh! Yo bien sé lo que habrá dicho...: ¡Válgate Dios! ¡Es lástima! Cierto. ¡Pobre Paquita!... Y se acabó... No habrá dicho más... Nada más.

RITA. No señora, no ha dicho eso.

D.ª FRANCISCA. ¿Qué sabes tú?

RITA. Bien lo sé. Apenas haya leído la carta se habrá puesto en camino y vendrá volando a consolar a su amiga... Pero... (*Acercándose a la puerta del cuarto de D.ª Irene.*)

D.ª FRANCISCA. ¿Adónde vas?

RITA. Quiero ver si...

D.ª FRANCISCA. Está escribiendo.

RITA. Pues ya presto habrá de dejarlo, que empieza a anoche-

[122] Añover de Tajo, villa de la provincia de Toledo, donde se cogían muy celebrados melones.

[123] «Como los melones son los hombres: algunos, buenos melones; muchos, melones apepinados; y los más, pepinos amelonados», dice un refrán recogido por Rodríguez Marín; «El melón y el casamiento, acertamiento»; «El melón y la mujer, malos de conocer»; «El melón y el casar, todo es acertar», dicen otros refranes recogidos por Correas.

[124] El Santo Oficio determinó: «Bórrese la palabra *a oscuras* por indicativa de sentido siniestro e indecente», pero la Academia de la Historia la dejó en su sitio; *terrero*: 'galanteo desde la calle', en expresión similar a 'pelar la pava' y otras semejantes; compárese Lope, *La dama boba*, I: «pretende la bobería / desta dama, y a porfía / hacen su calle terrero».

cer... Señorita, lo que la he dicho a usted es la verdad pura: D. Félix está ya en Alcalá.

D.ª FRANCISCA. ¿Qué dices? No me engañes.

RITA. Aquél es su cuarto... Calamocha acaba de hablar conmigo.

D.ª FRANCISCA. ¿De veras?

RITA. Sí, señora... Y le ha ido a buscar para...

D.ª FRANCISCA. ¿Conque me quiere?... ¡Ay, Rita! Mira tú si hicimos bien de avisarle... ¿Pero ves qué fineza?... ¿Si vendrá bueno?[125] ¡Correr tantas leguas sólo por verme... porque yo se lo mando!... ¡Qué agradecida le debo estar!... ¡Oh! Yo le prometo que no se quejará de mí. Para siempre agradecimiento y amor.

RITA. Voy a traer luces. Procuraré detenerme por allá abajo hasta que vuelvan... Veré lo que dice y qué piensa hacer porque, hallándonos todos aquí, pudiera haber una de Satanás entre la madre, la hija, el novio y el amante; y si no ensayamos bien esta contradanza,[126] nos hemos de perder en ella.

D.ª FRANCISCA. Dices bien... Pero no; él tiene resolución y talento y sabrá determinar lo más conveniente... ¿Y cómo has de avisarme?... Mira que así que llegue le quiero ver.

RITA. No hay que dar cuidado. Yo le traeré por acá, y en dándome aquella tosecilla seca... ¿Me entiende usted?

D.ª FRANCISCA. Sí, bien.

RITA. Pues entonces no hay más que salir con cualquiera excusa. Yo me quedaré con la señora mayor, la hablaré de todos sus maridos y de sus cuñados y del obispo que murió en el mar... Además, que si está allí D. Diego...

D.ª FRANCISCA. Bien, anda, y así que lleguen...

RITA. Al instante.

D.ª FRANCISCA. Que no se te olvide toser.

RITA. No haya miedo.

D.ª FRANCISCA. ¡Si vieras qué consolada estoy!

RITA. Sin que usted lo jure lo creo.

D.ª FRANCISCA. ¿Te acuerdas cuando me decía que era im-

[125] *fineza*: 'acción o dicho con que uno da a entender el amor que tiene a otro'. Este uso de la conjunción *si*, muy frecuente en la prosa moratiniana, acentúa el carácter interrogativo.

[126] *contradanza*: 'cierto género de baile que se ejecuta entre seis, ocho o más personas, formando diferentes figuras y movimientos'. Calabazas, en *Casa con dos puertas mala es de guardar*, de Calderón, III, 17, comenta: «¡Qué linda danza / se va urdiendo». La crítica ha interpretado esta alusión al baile como clave para la comprensión de la obra.

posible apartarme de su memoria, que no habría peligros que le detuvieran ni dificultades que no atropellara por mí?

RITA. Sí, bien me acuerdo.

D.ª FRANCISCA. ¡Ah!... Pues mira cómo me dijo la verdad.

(D.ª Francisca se va al cuarto de D.ª Irene; Rita, por la puerta del foro.)[127]

[127] El interés dramático queda en suspenso, pues el espectador aguarda la presencia de ese joven amante y quiere saber si se evitará el matrimonio de la niña.

ACTO SEGUNDO[1]

ESCENA I

D.ª FRANCISCA

Nadie parece aún...[2] (*Teatro oscuro. D.ª Francisca se acerca a la puerta del foro y vuelve.*) ¡Qué impaciencia tengo!... Y dice mi madre que soy una simple, que sólo pienso en jugar y reír y que no sé lo que es amor...[3] Sí, diez y siete años y no cumplidos, pero ya sé lo que es querer bien, y la inquietud y las lágrimas que cuesta.

ESCENA II

D.ª IRENE, D.ª FRANCISCA

D.ª IRENE. Sola y a oscuras me habéis dejado allí.

D.ª FRANCISCA. Como estaba usted acabando su carta, mamá, por no estorbarla me he venido aquí, que está mucho más fresco.

D.ª IRENE. Pero aquella muchacha ¿qué hace que no trae una luz? Para cualquiera cosa se está un año... Y yo, que tengo un genio como una pólvora. (*Siéntase.*) Sea todo por Dios... ¿Y D. Diego? ¿No ha venido?

D.ª FRANCISCA. Me parece que no.[4]

D.ª IRENE. Pues cuenta, niña, con lo que te he dicho ya. Y mira que no gusto de repetir una cosa dos veces. Este caballero está sentido, y con muchísima razón...

D.ª FRANCISCA. Bien, sí señora, ya lo sé. No me riña usted más.

D.ª IRENE. No es esto reñirte, hija mía, esto es aconsejarte.

[1] Rasgos opuestos ha destacado la crítica en este segundo acto.

[2] *parece*: 'aparece'.

[3] Angélique, en Marivaux, *La escuela de las madres*, 6, se queja en otros términos de la educación que ha recibido de su mamá. Paquita sólo expresa su verdadera intimidad ante su criada, su amante y el público.

[4] En las dos primeras ediciones, figuraba en este lugar la siguiente acotación: (*Se irá oscureciendo lentamente la escena, hasta que al principio de la escena tercera vuelve a iluminarse*).

Porque como tú no tienes conocimiento para considerar el bien que se nos ha entrado por las puertas... Y lo atrasada[5] que me coge, que yo no sé lo que hubiera sido de tu pobre madre... Siempre cayendo y levantando... Médicos, botica... Que se dejaba pedir aquel caribe de D. Bruno (Dios le haya coronado de gloria) los veinte y los treinta reales por cada papelillo de píldoras de coloquíntida y asafétida...[6] Mira que un casamiento como el que vas a hacer muy pocas le consiguen.[7] Bien que a las oraciones de tus tías, que son unas bienaventuradas, debemos agradecer esta fortuna, y no a tus méritos ni a mi diligencia... ¿Qué dices?[8]

D.ª FRANCISCA. Yo nada, mamá.[9]

D.ª IRENE. Pues nunca dices nada. ¡Válgate Dios, señor!... En hablándote de esto no te ocurre nada que decir.

ESCENA III

RITA, D.ª IRENE, D.ª FRANCISCA

Sale Rita por la puerta del foro con luces y las pone sobre la mesa

D.ª IRENE. Vaya, mujer, yo pensé que en toda la noche no venías.

RITA. Señora, he tardado porque han tenido que ir a comprar las velas. Como el tufo del velón la hace a usted tanto daño.[10]

D.ª IRENE. Seguro que me hace muchísimo mal, con esta jaqueca que padezco... Los parches de alcanfor al cabo tuve que quitármelos,[11] ¡si no me sirvieron de nada! Con las obleas me

5 'endeudada'.

6 *caribe*: 'salvaje, animal'; *coloquíntida*: 'purgante vegetal'; *asafétida*: 'antiespasmódico obtenido de la resina que produce la planta del mismo nombre y de olor muy desagradable'.

7 Algo parecido dice Mme. Argante en Marivaux, *La escuela de las madres*, 5.

8 La actitud de madre e hija son semejantes en Marivaux, *La escuela de las madres*, 5.

9 La respuesta de Paquita es exactamente igual a la de Simón ante el discurso que le había espetado D. Diego en I, 1. Ambos reflejan, más que incapacidad para contestar, disconformidad con lo que se les dice y respeto para no contradecir al superior.

10 El velón, que podía tener una o varias salidas para la mecha, funcionaba a base de aceite, por lo que emitía un humo negro y espeso, el *tufo*.

11 Aunque el alcanfor se suele utilizar como estimulante cardíaco, los parches se empleaban para combatir el dolor de cabeza.

parece que me va mejor...[12] Mira, deja una luz ahí y llévate la otra a mi cuarto, y corre la cortina, no se me llene todo de mosquitos.

RITA. Muy bien. (*Toma una luz y hace que se va.*)

D.ª FRANCISCA. (*Aparte, a Rita.*) ¿No ha venido?

RITA. Vendrá.

D.ª IRENE. Oyes, aquella carta que está sobre la mesa, dásela al mozo de la posada para que la lleve al instante al correo...[13] (*Vase Rita al cuarto de D.ª Irene.*) Y tú, niña, ¿qué has de cenar? Porque será menester recogernos presto para salir mañana de madrugada.

D.ª FRANCISCA. Como las monjas me hicieron merendar...

D.ª IRENE. Con todo eso... Siquiera unas sopas del puchero para el abrigo del estómago... (*Sale Rita con una carta en la mano, y hasta el fin de la escena hace que se va y vuelve, según lo indica el diálogo.*) Mira, has de calentar el caldo que apartamos al medio día, y haznos un par de tazas de sopas, y tráetelas luego que estén.

RITA. ¿Y nada más?

D.ª IRENE. No, nada más... ¡Ah!, y házmelas bien caldositas.

RITA. Sí, ya lo sé.

D.ª IRENE. Rita.

RITA. (*Aparte.*) Otra. ¿Qué manda usted?

D.ª IRENE. Encarga mucho al mozo que lleve la carta al instante... Pero, no señor, mejor es... No quiero que la lleve él, que son unos borrachones que no se les puede... Has de decir a Simón que digo yo que me haga el gusto de echarla en el correo. ¿Lo entiendes?

RITA. Sí, señora.

D.ª IRENE. ¡Ah!, mira.

RITA. (*Aparte.*) Otra.

D.ª IRENE. Bien que ahora no corre prisa... Es menester que luego me saques de ahí al tordo y colgarle por aquí, de modo que no se caiga y se me lastime... (*Vase Rita por la puerta del foro.*) ¡Qué noche tan mala me dio!... ¡Pues no estuvo el animal toda la noche de Dios rezando el Gloria Patri y la oración del Santo Sudario!...[14] Ello, por otra parte, edificaba, cierto... Pero cuando se trata de dormir...

[12] *obleas*: 'hojas delgadas de masa de harina y agua con que se envuelven ciertos medicamentos'. Era la sustancia que se utilizaba para «dorar la píldora».

[13] Los carruajes que cubrían los diversos caminos del país estaban encargados de transportar también el correo.

[14] La Inquisición consideró impío este fragmento, y la Academia de la Historia lo depuró: «cantando el Mal-

ESCENA IV

D.ª IRENE, D.ª FRANCISCA

D.ª IRENE. Pues mucho será que D. Diego no haya tenido algún encuentro por ahí y eso le detenga. Cierto que es un señor muy mirado, muy puntual... ¡Tan buen cristiano! ¡Tan atento! ¡Tan bien hablado! ¡Y con qué garbo y generosidad se porta!... Ya se ve, un sujeto de bienes y de posibles...[15] ¡Y qué casa tiene! Como un ascua de oro la tiene... Es mucho aquello. ¡Qué ropa blanca! ¡Qué batería de cocina! ¡Y qué despensa, llena de cuanto Dios crió!...[16] Pero tú no parece que atiendes a lo que estoy diciendo.

D.ª FRANCISCA. Sí, señora, bien lo oigo, pero no la quería interrumpir a usted.

D.ª IRENE. Allí estarás, hija mía, como el pez en el agua. Pajaritas del aire que apetecieras las tendrías, porque como él te quiere tanto y es un caballero tan de bien y tan temeroso de Dios... Pero mira, Francisquita, que me cansa de veras el que siempre que te hablo de esto hayas dado en la flor de no responderme palabra...[17] ¡Pues no es cosa particular, señor!

D.ª FRANCISCA. Mamá, no se enfade usted.

D.ª IRENE. No es buen empeño de... ¿Y te parece a ti que no sé yo muy bien de dónde viene todo eso?... ¿No ves que conozco las locuras que se te han metido en esa cabeza de chorlito?... Perdóneme Dios.

D.ª FRANCISCA. Pero... ¿Pues qué sabe usted?

D.ª IRENE. ¿Me quieres engañar a mí, eh? ¡Ay, hija! He vivido mucho, y tengo yo mucha trastienda y mucha penetración para que tú me engañes.[18]

bruc y la Jota», y en vez de «edificaba» sólo «divertía». La gazmoñería del tordo es simple mímesis de la de su dueña.

[15] Parecidas condiciones económicas reúne M. Damis, en Marivaux, *La escuela de las madres*. Aunque tiene precedentes destacados en *Marta la piadosa*, de Tirso.

[16] El orden hogareño que describe D.ª Irene parece propio de solterones quisquillosos, como el mismo Moratín.

[17] *dado en la flor*: 'tomar la costumbre de hacer alguna cosa no buena'.

[18] *trastienda*: 'cautela adquirida por experiencia o reflexión'.

D.ª FRANCISCA. (*Aparte.*) Perdida soy.[19]

D.ª IRENE. Sin contar con su madre... Como si tal madre no tuviera... Yo te aseguro que, aunque no hubiera sido con esta ocasión, de todos modos era ya necesario sacarte del convento. Aunque hubiera tenido que ir a pie y sola por ese camino, te hubiera sacado de allí... ¡Mire usted qué juicio de niña éste! Que porque ha vivido un poco de tiempo entre monjas ya se le puso en la cabeza el ser ella monja también...[20] Ni qué entiende ella de eso, ni qué... En todos los estados se sirve a Dios, Frasquita, pero el complacer a su madre, asistirla, acompañarla y ser el consuelo de sus trabajos, ésa es la primera obligación de una hija obediente.[21] Y sépalo usted, si no lo sabe.

D.ª FRANCISCA. Es verdad, mamá... Pero yo nunca he pensado abandonarla a usted.

D.ª IRENE. Sí, que no sé yo...

D.ª FRANCISCA. No, señora. Créame usted. La Paquita nunca se apartará de su madre, ni la dará disgustos.

D.ª IRENE. Mira si es cierto lo que dices.

D.ª FRANCISCA. Sí señora, que yo no sé mentir.

D.ª IRENE. Pues, hija, ya sabes lo que te he dicho. Ya ves lo que pierdes y la pesadumbre que me darás si no te portas en todo como corresponde... Cuidado con ello.

D.ª FRANCISCA. (*Aparte.*) ¡Pobre de mí!

[19] Uso del verbo *ser* como atributivo. Cervantes había escrito en el *Quijote*: «Somos perdidos si vuestra industria y valor no nos socorre» (II, 53). Se produce aquí otro malentendido: Paquita supone a su madre al corriente de sus amores.

[20] En Marivaux, *La escuela de las madres*, 4, la mamá de Angélique atribuye la tristeza de su hija a la separación entre ambas que se avecina. Las dos madres son miopes ante la realidad del amor que sus hijas sienten.

[21] Argumento muy del gusto de los ilustrados en su postura contra el excesivo número de religiosos, aunque también fuera utilizado por quienes pretendían enclaustrar a sus hijas contra su gusto y voluntad. Dice D.ª Inés en *La mojigata*, hablando sobre la virtud: «Practicándola, en cualquier / estado serás feliz» (I, 8). La intencionalidad de D.ª Irene es, sin embargo, muy clara. La Inquisición propuso suprimir todo el párrafo.

ESCENA V

D. DIEGO, D.ª IRENE, D.ª FRANCISCA

Sale D. Diego por la puerta del foro y deja sobre la mesa sombrero y bastón

D.ª IRENE. ¿Pues cómo tan tarde?

D. DIEGO. Apenas salí tropecé con el rector de Málaga y el doctor Padilla,[22] y hasta que me han hartado bien de chocolate y bollos no me han querido soltar... (*Siéntase junto a D.ª Irene.*) Y a todo esto, ¿cómo va?

D.ª IRENE. Muy bien.

D. DIEGO. ¿Y D.ª Paquita?

D.ª IRENE. D.ª Paquita siempre acordándose de sus monjas. Ya la digo que es tiempo de mudar de bisiesto[23] y pensar sólo en dar gusto a su madre y obedecerla.

D. DIEGO. ¡Qué diantre! ¿Conque tanto se acuerda de...?

D.ª IRENE. ¿Qué se admira usted? Son niñas... No saben lo que quieren ni lo que aborrecen... En una edad así, tan...

D. DIEGO. No, poco a poco, eso no. Precisamente en esa edad son las pasiones algo más enérgicas y decisivas que en la nuestra y, por cuanto la razón se halla todavía imperfecta y débil, los ímpetus del corazón son mucho más violentos...[24] (*Asiendo de una*

[22] Las ediciones de 1805 y 1806 sustituían «el rector de Málaga» por «el padre guardián de San Diego». La Inquisición había señalado que el hartazgo de bollos y chocolate recae «sobre persona religiosa, cuando no se niegue que tal sea un guardián de convento».

El Colegio Menor de San Ciríaco y Santa Paula, o de Málaga, situado en la antigua calle de los Colegios, fue fundado por don Juan Alonso de Moscoso, obispo de Málaga, en 1611. El chocolate era la bebida predilecta de Moratín, quien llegó a escribir: «Sin chocolate y sin teatro soy hombre muerto». El mismo asunto aparece en *La mojigata*, I, 2, y en su poema «El filosofastro». Sobre el chocolate escribió Mayans y Siscar una erudita oración y Montengón una oda.

[23] 'cambiar de opinión o pensamiento', en expresión familiar.

[24] Es la misma idea de Cabarrús, *Cartas*, II, quien señalaba que a esa edad «la sociedad contradice a la naturaleza: en la mayor efervescencia de las pasiones de la una, y cuando su razón no tiene todavía la madurez que pide la otra». También Cadalso, *Autobiografía*, escribe: «Como aún era yo muy joven y en la edad precisa de tomar incremento las pasiones...».

mano a D.ª Francisca, la hace sentar inmediata a él.)[25] Pero de veras, D.ª Paquita, ¿se volvería usted al convento de buena gana?... La verdad.

D.ª IRENE. Pero si ella no...

D. DIEGO. Déjela usted, señora, que ella responderá.

D.ª FRANCISCA. Bien sabe usted lo que acabo de decirla...[26] No permita Dios que yo la dé que sentir.

D. DIEGO. Pero eso lo dice usted tan afligida y...

D.ª IRENE. Si es natural, señor. ¿No ve usted que...?

D. DIEGO. Calle usted, por Dios, D.ª Irene, y no me diga usted a mí lo que es natural. Lo que es natural es que la chica esté llena de miedo y no se atreva a decir una palabra que se oponga a lo que su madre quiere que diga... Pero si esto hubiese, por vida mía que estábamos lucidos.

D.ª FRANCISCA. No, señor; lo que dice su merced eso digo yo, lo mismo. Porque en todo lo que me mande la obedeceré.[27]

D. DIEGO. ¡Mandar, hija mía!...[28] En estas materias tan delicadas los padres que tienen juicio no mandan. Insinúan, proponen, aconsejan, eso sí, todo eso sí, ¡pero mandar!... ¿Y quién ha de evitar después las resultas funestas de lo que mandaron?...[29] Pues ¿cuántas veces vemos matrimonios infelices, uniones monstruosas, verificadas solamente porque un padre tonto se metió a mandar lo que no debiera?...[30] ¡Eh! ¡No señor, eso no va

[25] La acotación, que muestra un deseo de proximidad física y anímica a la niña, contrasta con la anterior respecto a D.ª Irene, meramente descriptiva.

[26] Paquita dirige muy significativamente su respuesta a D.ª Irene, y no a D. Diego, que es quien le pregunta.

[27] Respuestas así ofrece Angélique en Marivaux, *La escuela de las madres,* 5. Pero son de uso corriente en la época.

[28] Toda esta larga tirada de D. Diego se ha relacionado, aunque sin un análisis detallado, con la comedia lacrimosa de La Chaussée y Diderot, así como con la mezcla de ingenuidad y ternura de Rousseau.

[29] Había escrito Moratín en *El viejo y la niña*: «Estas resultas esperan / tales casamientos» (III, 12), refiriéndose a las nefastas consecuencias que el matrimonio desigual entre D. Roque y D.ª Isabel ha producido. Las «consecuencias nefastas» o los «escándalos» (III, 8) motivados por matrimonios no queridos son reseñados con frecuencia en la literatura del día.

[30] Las ediciones de 1805 y 1806 añaden: «¿Cuántas veces una desdichada mujer halla anticipada la muerte en el encierro de un claustro porque su madre o su tío se empeñaron en regalar a Dios lo que Dios no quería?». La experiencia inquisitorial le indujo a Moratín a autocensurarse incluso más de lo debido, puesto que en *La mojigata* las expresiones para aludir al claustro son aún más fuertes: «sepultarme en vida» (I, 7) o «vivir siempre emparedada» (III, 1). En *El viejo y la niña,* donde el matrimonio ya ha sido consumado, Isa-

bien!... Mire usted, D.ª Paquita, yo no soy de aquellos hombres que se disimulan los defectos. Yo sé que ni mi figura ni mi edad son para enamorar perdidamente a nadie;[31] pero tampoco he creído imposible que una muchacha de juicio y bien criada llegase a quererme con aquel amor tranquilo y constante que tanto se parece a la amistad y es el único que puede hacer los matrimonios felices.[32] Para conseguirlo no he ido a buscar ninguna hija de familia de estas que viven en una decente libertad...[33] Decente, que yo no culpo lo que no se opone al ejercicio de la virtud. ¿Pero cuál sería entre todas ellas la que no estuviese ya prevenida en favor de otro amante más apetecible que yo? Y en Madrid, ¡figúrese usted en un Madrid!...[34] Lleno de estas ideas, me pareció que tal vez hallaría en usted todo cuanto yo deseaba.

D.ª IRENE. Y puede usted creer, señor D. Diego, que...

D. DIEGO. Voy a acabar, señora, déjeme usted acabar. Yo me hago cargo, querida Paquita, de lo que habrán influido en una niña tan bien inclinada como usted las santas costumbres que ha visto practicar en aquel inocente asilo de la devoción y la virtud;[35] pero si, a pesar de todo esto, la imaginación acalorada, las

bel encuentra en el convento la única salida a una situación insostenible. O tal vez no quiso el autor recargar el tono patético del parlamento.

[31] También M. Damis, en Marivaux, *La escuela de las madres,* 11, es consciente de lo que conlleva la diferencia de edad.○

[32] El amor que preconiza D. Diego —no así el de los jóvenes— parece haber perdido todo su arrebato pasional: institucionaliza el orden y la estabilidad de la sociedad. Amor que se basa en la fidelidad, la armonía y la sinceridad, aunque no es menospreciable el bienestar económico. Es el mismo tipo de amor que Mme. Argante y M. Damis proyectan para Angélique en *La escuela de las madres*, 5 y 11.

[33] En carta del 14 de agosto de 1824, Moratín escribe que goza «de aquella honesta libertad que sólo se adquiere en la moderación de los deseos». D. Diego trata de dejar muy claro que no está en absoluto contra esa libertad. En Marivaux, *La escuela de las madres*, 6, la expresión reza «liberté honnête». El tema, de raíz cervantina, no es otro que el de la virtud —castidad— y la libertad frente a la licencia que puede —y suele— coincidir con el matrimonio.

[34] D. Lucas, *Entre bobos anda el juego*, III, afirma: «mujer criada en Madrid / para mi propia descarto». La exclamación de D. Diego refleja una cierta visión de la capital de España como una Babilonia aislada en el centro de la meseta. Lanz de Casafonda, *Diálogos*, I, definía Madrid como «una corte donde hay más ocasiones para estragarse la gente moza».

[35] Se ha considerado que este párrafo parece demasiado lisonjero para estar exento de ironía, pero no se debe confundir automáticamente la actitud de Moratín con la de D. Diego, quien no ha dado muestras de ironizar sobre la educación en el convento. Lo ha he-

circunstancias imprevistas, la hubiesen hecho elegir sujeto más digno, sepa usted que yo no quiero nada con violencia. Yo soy ingenuo: mi corazón y mi lengua no se contradicen jamás.[36] Esto mismo la pido a usted, Paquita: sinceridad.[37] El cariño que a usted la tengo no la debe hacer infeliz... Su madre de usted no es capaz de querer una injusticia, y sabe muy bien que a nadie se le hace dichoso por fuerza. Si usted no halla en mí prendas que la inclinen, si siente algún otro cuidadillo en su corazón,[38] créame usted, la menor disimulación en esto nos daría a todos muchísimo que sentir.[39]

D.ª IRENE. ¿Puedo hablar ya, señor?

D. DIEGO. Ella, ella debe hablar, y sin apuntador y sin intérprete.

D.ª IRENE. Cuando yo se lo mande.

D. DIEGO. Pues ya puede usted mandárselo, porque a ella la toca responder... Con ella he de casarme; con usted no.

D.ª IRENE. Yo creo, señor D. Diego, que ni con ella ni conmigo. ¿En qué concepto nos tiene usted?... Bien dice su padrino, y bien claro me lo escribió pocos días ha, cuando le di parte de este casamiento. Que aunque no la ha vuelto a ver desde que la tuvo en la pila, la quiere muchísimo, y a cuantos pasan por el Burgo de Osma les pregunta cómo está,[40] y continuamente nos envía memorias con el ordinario.[41]

cho respecto a las monjas o criticará los efectos comprobados de la educación que ha recibido Paquita —y las jóvenes en general—. Su tono responde más bien al deseo de preparar el terreno para conseguir con suavidad la sinceridad de la chica.

[36] Véase la nota 51 del acto I en *La comedia nueva*.

[37] Este hondo deseo de D. Diego choca frontalmente con el temor y la obediencia de Paquita, por lo que ésta no va a acogerlo en ningún momento, ni siquiera en la situación más intensa de la relación entre ambos.

[38] *cuidadillo*: 'afecto o pena de amor'. El 13 de marzo de 1816 le había escrito Moratín a su prima: «Si no es más que estimación la que profesas por sus buenas prendas, no te cases con él; y la razón es porque estas buenas prendas siempre serán las mismas, pero los defectos, particularmente los físicos, irán aumentándose necesariamente».

[39] En la carta antes citada, comenta Moratín: «No hay disculpa para una mujer cuando sin tener amor hace un disparate». El cambio que se produce entre dos momentos de la intervención de D. Diego, que pasa de hablar de un «amante más apetecible» a «sujeto más digno» y de verla «afligida» a suponer que siente algún «cuidadillo», ha hecho que a algún crítico le suene a falso todo lo que dice el personaje.

[40] Burgo de Osma, con sede episcopal, es pueblo —y fue mercado importante— en la provincia de Soria, junto al camino de Madrid hacia Aranda del Duero.

[41] 'correo', también conocido de este modo. Cadalso opinaba, en su *Autobiografía*, que el sistema ofrecía

D. DIEGO. Y bien, señora, ¿qué escribió el padrino?... O, por mejor decir, ¿qué tiene que ver nada de eso con lo que estamos hablando?

D.ª IRENE. Sí señor que tiene que ver, sí señor. Y aunque yo lo diga, le aseguro a usted que ni un padre de Atocha hubiera puesto una carta mejor que la que él me envió sobre el matrimonio de la niña...[42] Y no es ningún catedrático, ni bachiller, ni nada de eso, sino un cualquiera, como quien dice, un hombre de capa y espada,[43] con un empleíllo infeliz en el ramo del viento,[44] que apenas le da para comer... Pero es muy ladino,[45] y sabe de todo, y tiene una labia, y escribe que da gusto... Cuasi toda la carta venía en latín,[46] no le parezca a usted, y muy buenos consejos que me daba en ella... Que no es posible sino que adivinase lo que nos está sucediendo.

D. DIEGO. Pero, señora, si no sucede nada, ni hay cosa que a usted la deba disgustar.

D.ª IRENE. ¿Pues no quiere usted que me disguste oyéndole hablar de mi hija en términos que...? ¡Ella otros amores ni otros cuidados!... Pues si tal hubiera... ¡Válgame Dios!... La mataba a golpes, mire usted... Respóndele, una vez que quiere que hables y que yo no chiste. Cuéntale los novios que dejaste en Madrid cuando tenías doce años, y los que has adquirido en el convento,[47] al lado de aquella santa mujer. Díselo para que se tranquilice y...

D. DIEGO. Yo, señora, estoy más tranquilo que usted.

poca confianza, pues las materias delicadas no son «para el peligroso conducto de un correo ordinario».

[42] Padre de Atocha lo era el del convento dominico de Santo Domingo, en Madrid, fundado en 1523 por el confesor de Carlos V y conocido popularmente como de Nuestra Señora de Atocha.

[43] 'sin títulos académicos ni nobiliarios', lo que llamaríamos 'ciudadano de a pie'. Recuérdese la expresión *comedia de capa y espada*, con la que se aludía a la procedencia social de los personajes.

[44] 'ramo de tributos sobre ventas al por menor que en algunas poblaciones pagaban los forasteros para vender sus mercaderías, especialmente en tiempo de feria'.

[45] Parece mezclar dos sentidos, 'que habla alguna o algunas lenguas además de la propia', pero también 'artero, astuto'.

[46] *cuasi*: 'casi'; aunque ambas formas se utilizaban por escrito, aquí parece responder al esfuerzo mimético de D.ª Irene por parecer tan «letrada» como el padrino.

[47] Aunque es evidente que D.ª Irene habla por antífrasis —y que en parte acierta—, la Inquisición dictaminó: «Expresion equívoca que puede significar haber tenido en el convento concurrencia de novios con el asenso de su santa tía, y así una educación poco o nada atenta y exacta».

D.ª IRENE. Respóndele.

D.ª FRANCISCA. Yo no sé qué decir. Si ustedes se enfadan...

D. DIEGO. No, hija mía. Esto es dar alguna expresión a lo que se dice; pero enfadarnos, no por cierto. D.ª Irene sabe lo que yo la estimo.

D.ª IRENE. Sí señor que lo sé, y estoy sumamente agradecida a los favores que usted nos hace...[48] Por eso mismo...

D. DIEGO. No se hable de agradecimiento; cuanto yo puedo hacer, todo es poco... Quiero sólo que D.ª Paquita esté contenta.

D.ª IRENE. ¿Pues no ha de estarlo? Responde.

D.ª FRANCISCA. Sí señor que lo estoy.[49]

D. DIEGO. Y que la mudanza de estado que se la previene no la cueste el menor sentimiento.

D.ª IRENE. No señor, todo al contrario... Boda más a gusto de todos no se pudiera imaginar.[50]

D. DIEGO. En esa inteligencia,[51] puedo asegurarla que no tendrá motivos de arrepentirse después. En nuestra compañía vivirá querida y adorada, y espero que a fuerza de beneficios he de merecer su estimación y su amistad.[52]

D.ª FRANCISCA. Gracias, señor D. Diego... ¡A una huérfana, pobre, desvalida como yo!...[53]

D. DIEGO. Pero de prendas tan estimables que la hacen a usted digna todavía de mayor fortuna.

D.ª IRENE. Ven aquí, ven... Ven aquí, Paquita.

D.ª FRANCISCA. ¡Mamá! (*Levántase, abraza a su madre y se acarician mutuamente.*)

D.ª IRENE. ¿Ves lo que te quiero?

D.ª FRANCISCA. Sí, señora.

D.ª IRENE. ¿Y cuánto procuro tu bien, que no tengo otro pío sino el de verte colocada antes que yo falte?[54]

[48] Mme. Argante siente el mismo agradecimiento por los favores que le hace M. Damis en Marivaux, *La escuela de las madres,* II.

[49] Esta respuesta lacónica y forzada es lo mejor que puede escuchar D. Diego de su prometida, y es eso lo que le permitirá seguir conservando su sueño, aunque sea de modo limitado.

[50] La contestación a la crucial pregunta ya no sale de los labios de Paquita. Su madre vuelve a ser «apuntador e intérprete».

[51] 'en ese supuesto'.

[52] Cierto tono de renuncia al amor acompaña la búsqueda de una posible vida hogareña.

[53] Meléndez había escrito, bien que con otra significación, «huérfano, joven, solo y desvalido».

[54] *pío*: 'deseo vivo o ansioso de alguna cosa'. La misma intención expresa

D.ª FRANCISCA. Bien lo conozco.

D.ª IRENE. ¡Hija de mi vida! ¿Has de ser buena?

D.ª FRANCISCA. Sí, señora.

D.ª IRENE. ¡Ay, que no sabes tú lo que te quiere tu madre![55]

D.ª FRANCISCA. ¿Pues qué, no la quiero yo a usted?

D. DIEGO. Vamos, vamos de aquí. (*Levántase D. Diego, y después D.ª Irene.*) No venga alguno y nos halle a los tres llorando como tres chiquillos.[56]

D.ª IRENE. Sí, dice usted bien.

(*Vanse los dos al cuarto de D.ª Irene. D.ª Francisca va detrás, y Rita, que sale por la puerta del foro, la hace detener.*)

ESCENA VI

RITA, D.ª FRANCISCA

RITA. Señorita... ¡Eh, chit...!, señorita.

D.ª FRANCISCA. ¿Qué quieres?

RITA. Ya ha venido.

D.ª FRANCISCA. ¿Cómo?

RITA. Ahora mismo acaba de llegar. Le he dado un abrazo con licencia de usted, y ya sube por la escalera.

D.ª FRANCISCA. ¡Ay, Dios!... ¿Y qué debo hacer?

RITA. ¡Donosa pregunta!... Vaya, lo que importa es no gastar el tiempo en melindres de amor... Al asunto... y juicio...[57] Y mire usted que en el paraje en que estamos la conversación no puede ser muy larga... Ahí está.

D.ª FRANCISCA. Sí... Él es.

la mamá de Angélique en Marivaux, *La escuela de las madres,* 5.

[55] Sin embargo, en *El barón* se afirma: «Y esa ambición insensata, / esa verdad, ¿te atreves / a desmentirla y llamarla / amor de madre?» (II, 6).

[56] Ternura (del novio), agradecimiento y desolación (de la niña) y satisfacción (de la madre) parecen ser las fuentes de que brota este manantial de lágrimas.

[57] El Santo Oficio ordenó que se borrase esta expresión «por indicativa de varios sentidos, muy equívoca y malsonante», pero la Academia de la Historia no la suprimió. Hilaban muy fino los inquisidores, sin duda.

RITA. Voy a cuidar de aquella gente... Valor, señorita, y resolución.[58] (*Rita se entra en el cuarto de D.ª Irene.*)

D.ª FRANCISCA. No, no, que yo también...[59] Pero no lo merece.

ESCENA VII

D. CARLOS, D.ª FRANCISCA[60]

Sale D. Carlos por la puerta del foro

D. CARLOS. ¡Paquita!... ¡Vida mía! Ya estoy aquí... ¿Cómo va, hermosa, cómo va?[61]

D.ª FRANCISCA. Bien venido.

D. CARLOS. ¿Cómo tan triste?... ¿No merece mi llegada más alegría?

D.ª FRANCISCA. Es verdad; pero acaban de sucederme cosas que me tienen fuera de mí... Sabe usted... Sí, bien lo sabe usted... Después de escrita aquella carta, fueron por mí... Mañana a Madrid... Ahí está mi madre.[62]

D. CARLOS. ¿En dónde?

[58] La conducta de Rita se parece a la de las criadas barrocas, censurada por Moratín en su «Lección poética», donde escribía: «Esclava fiel, astuta en el empleo / de enredar una trama delincuente / y conducir amantes al careo»; pero la limpieza de las relaciones entre los jóvenes ha sido resaltada en varios lugares y este careo es resultado de una situación extrema.

[59] La doble faceta niña-mujer de D.ª Paquita cobra aquí un particular relieve: ante la eventualidad de volver a ver al amante, el temor la hace reaccionar como una niña que quiere huir y esconderse, siguiendo a su criada. De inmediato, sin embargo, reacciona como una mujer y afronta la situación.

[60] El hecho de que en esta escena los dos enamorados se queden solos y a oscuras suscitó las reservas de algún crítico. Moratín, además, había escrito en *La mojigata*: «Que estaban hablando a oscuras / mi sobrina y el monuelo / botarate de D. Claudio. / ¡Qué libertades! ¡Qué excesos!» (II, 4). Pero no debe olvidarse lo ya señalado: es una situación límite para ambos.

[61] Esta incapacidad de D. Carlos para enhebrar un discurso amoroso ha sido generalmente interpretada como muestra de la dificultad moratiniana para crear personajes ardorosos y apasionados. No se ha captado el delicado modo de expresar la emoción, tensa y apasionada a un tiempo, del galán.

[62] Las dificultades del oficial para hablar amorosamente se convierten en un hablar entrecortado e incoherente por parte de la muchacha. Ambos comparten un mismo sentimiento.

D.ª FRANCISCA. Ahí, en ese cuarto. (*Señalando al cuarto de D.ª Irene.*)

D. CARLOS. ¿Sola?

D.ª FRANCISCA. No, señor.

D. CARLOS. Estará en compañía del prometido esposo.[63] (*Se acerca al cuarto de D.ª Irene, se detiene y vuelve.*) Mejor... ¿Pero no hay nadie más con ella?

D.ª FRANCISCA. Nadie más; solos están... ¿Qué piensa usted hacer?

D. CARLOS. Si me dejase llevar de mi pasión y de lo que esos ojos me inspiran, una temeridad... Pero tiempo hay... Él también será hombre de honor, y no es justo insultarle porque quiere bien a una mujer tan digna de ser querida...[64] Yo no conozco a su madre de usted, ni... Vamos, ahora nada se puede hacer... Su decoro de usted merece la primera atención.

D.ª FRANCISCA. Es mucho el empeño que tiene en que me case con él.

D. CARLOS. No importa.

D.ª FRANCISCA. Quiere que esta boda se celebre así que lleguemos a Madrid.

D. CARLOS. ¿Cuál?... No. Eso no.

D.ª FRANCISCA. Los dos están de acuerdo, y dicen...

D. CARLOS. Bien... Dirán... Pero no puede ser.

D.ª FRANCISCA. Mi madre no me habla continuamente de otra materia... Me amenaza, me ha llenado de temor... Él insta por su parte, me ofrece tantas cosas, me...

D. CARLOS. Y usted ¿qué esperanza le da?... ¿Ha prometido quererle mucho?[65]

D.ª FRANCISCA. ¡Ingrato!... ¿Pues no sabe usted que...? ¡Ingrato!

D. CARLOS. Sí, no lo ignoro, Paquita... Yo he sido el primer amor.

[63] Parece calco de la expresión italiana. Recuérdese el título de Manzoni, *I promessi sposi*, siempre traducido como *Los novios*.

[64] Habituados los coetáneos de Moratín a las baladronadas de los galanes barrocos, la actitud de D. Carlos, su respeto por el contrincante, su preocupación por el honor de la dama, etc., no podían sino acentuar la mala comprensión de su figura.

[65] Los puntos suspensivos —silencios— expresan los celos del amante y los reproches de la niña. El pudor en el silenciar los sentimientos caracteriza la escena.

D.ª FRANCISCA. Y el último.

D. CARLOS. Y antes perderé la vida que renunciar al lugar que tengo en ese corazón... Todo él es mío... ¿Digo bien? (*Asiéndola de las manos.*)

D.ª FRANCISCA. ¿Pues de quién ha de ser?

D. CARLOS. ¡Hermosa! ¡Qué dulce esperanza me anima!... Una sola palabra de esa boca me asegura...[66] Para todo me da valor... En fin, ya estoy aquí... ¿Usted me llama para que la defienda, la libre, la cumpla una obligación mil y mil veces prometida? Pues a eso mismo vengo yo... Si ustedes se van a Madrid mañana, yo voy también. Su madre de usted sabrá quién soy... Allí puedo contar con el favor de un anciano respetable y virtuoso a quien más que tío debo llamar amigo y padre.[67] No tiene otro deudo más inmediato ni querido que yo; es hombre muy rico y si los dones de la fortuna tuviesen para usted algún atractivo esta circunstancia añadiría felicidades a nuestra unión.

D.ª FRANCISCA. ¿Y qué vale para mí toda la riqueza del mundo?[68]

D. CARLOS. Ya lo sé. La ambición no puede agitar a un alma tan inocente.

D.ª FRANCISCA. Querer y ser querida... Ni apetezco más ni conozco mayor fortuna.

D. CARLOS. Ni hay otra... Pero usted debe serenarse y esperar que la suerte mude nuestra aflicción presente en durables dichas.

D.ª FRANCISCA. ¿Y qué se ha de hacer para que a mi pobre madre no la cueste una pesadumbre?... ¡Me quiere tanto!... Si acabo de decirla que no la disgustaré ni me apartaré de su lado jamás, que siempre seré obediente y buena... ¡Y me abrazaba con tanta ternura! Quedó tan consolada con lo poco que acerté a decirla... Yo no sé, no sé qué camino ha de hallar usted para salir de estos ahogos.[69]

[66] 'tranquiliza, da confianza'.

[67] Lo mismo cree Éraste, en Marivaux, *La escuela de las madres*, 9. Y también el héroe del mismo autor en *La madre confidente* I, 1. A partir de este momento, para el espectador —que no para los protagonistas— la identidad entre D. Félix y D. Carlos no se presta ya a ninguna duda.

[68] La niña no sabe ni quiere conceder importancia al dinero. Su madre sí. D. Diego también. Sus palabras son, al mismo tiempo, reflejo de su falta de contacto con el mundo real.

[69] 'congojas o aflicciones grandes'.

D. CARLOS. Yo le buscaré... ¿No tiene usted confianza en mí?

D.ª FRANCISCA. ¿Pues no he de tenerla? ¿Piensa usted que estuviera yo viva si esa esperanza no me animase? Sola y desconocida de todo el mundo, ¿qué había yo de hacer? Si usted no hubiese venido, mis melancolías me hubieran muerto,[70] sin tener a quién volver los ojos ni poder comunicar a nadie la causa de ellas... Pero usted ha sabido proceder como caballero y amante, y acaba de darme con su venida la prueba mayor de lo mucho que me quiere. (*Se enternece y llora.*)

D. CARLOS. ¡Qué llanto!... ¡Cómo persuade!...[71] Sí, Paquita, yo solo basto para defenderla a usted de cuantos quieran oprimirla. A un amante favorecido ¿quién puede oponérsele? Nada hay que temer.

D.ª FRANCISCA. ¿Es posible?

D. CARLOS. Nada... Amor ha unido nuestras almas en estrechos nudos y sólo la muerte bastará a dividirlas.[72]

ESCENA VIII

RITA, D. CARLOS, D.ª FRANCISCA

RITA. Señorita, adentro. La mamá pregunta por usted. Voy a traer la cena y se van a recoger al instante... Y usted, señor galán, ya puede también disponer de su persona.

D. CARLOS. Sí, que no conviene anticipar sospechas... Nada tengo que añadir.

D.ª FRANCISCA. Ni yo.[73]

D. CARLOS. Hasta mañana. Con la luz del día veremos a este dichoso competidor.

[70] *melancolías*: 'tristezas por algo que causa pesadumbre'.

[71] Aunque no hay indicación alguna, estas exclamaciones deberían constituir un *aparte*.

[72] Al prescindir del artículo determinado, Amor aparece como figura mitológica, recurso harto frecuente en la lírica dieciochesca y en la del propio Moratín. La posible separación definitiva de los amantes como causa de su muerte va a subrayarse en varios lugares, acentuándose en el acto III. Un sutil deslizamiento se produce entre la simple muerte por dolor de ausencia y la búsqueda voluntaria de la misma.

[73] Se ha querido ver en este diálogo practicidad de la joven frente a vaguedad del galán.

RITA. Un caballero muy honrado, muy rico, muy prudente; con su chupa larga, su camisola limpia y sus sesenta años debajo del peluquín.[74] (*Se va por la puerta del foro.*)

D.ª FRANCISCA. Hasta mañana.[75]

D. CARLOS. Adiós, Paquita.

D.ª FRANCISCA. Acuéstese usted y descanse.

D. CARLOS. ¿Descansar con celos?[76]

D.ª FRANCISCA. ¿De quién?

D. CARLOS. Buenas noches... Duerma usted bien, Paquita.

D.ª FRANCISCA. ¿Dormir con amor?

D. CARLOS. Adiós, vida mía.

D.ª FRANCISCA. Adiós. (*Éntrase al cuarto de D.ª Irene.*)

ESCENA IX

D. CARLOS, CALAMOCHA, RITA

D. CARLOS. ¡Quitármela! (*Paseándose inquieto.*) No... Sea quien fuere, no me la quitará. Ni su madre ha de ser tan imprudente que se obstine en verificar este matrimonio repugnándolo su hija..., mediando yo... ¡Sesenta años!... Precisamente será muy rico... ¡El dinero!... Maldito él sea, que tantos desórdenes origina.[77]

CALAMOCHA. Pues, señor, (*Sale por la puerta del foro*) tene-

[74] *camisola*: 'camisa de lienzo delgado, guarnecida de puntillas y encajes en la abertura del pecho y en los puños, que se usa bajo la chupa'; el peluquín era signo distintivo de clases sociales acomodadas. La criada no duda en tener a D. Diego por sesentón.

[75] La forma paralelística de la despedida, de una ternura y sencillez no vistas antes en la escena, es la única concesión lírica de toda la obra.

[76] Si bien los celos ocupan un lugar central en *Entre bobos anda el juego*, no es un sentimiento que exprese Éraste en *La escuela de las madres*. Aquí se reducen a esta expresión sencilla y controlada.

[77] La misma reacción, aunque con diferentes protagonistas, en Marivaux, *La madre confidente*, I, 1, o en Tirso, *Marta la piadosa*, I, 8. D. Carlos intuye la verdadera razón del planeado matrimonio. El joven, que no tiene problemas económicos y que con toda probabilidad heredará una cuantiosa fortuna, emite la única queja contra el dinero, no por espíritu nobiliario o antiburgués, sino por el modo en que obstaculiza la realización del amor. En unas frases se resume una actitud de larga tradición contra los desastres que acarrea el dinero. La postura de Moratín aparece en otros lugares, incluso en su poesía.

mos un medio cabrito asado y... a lo menos parece cabrito.[78] Tenemos una magnífica ensalada de berros, sin anapelos ni otra materia extraña,[79] bien lavada, escurrida y condimentada por estas manos pecadoras, que no hay más que pedir. Pan de Meco, vino de la Tercia...[80] Conque si hemos de cenar y dormir, me parece que sería bueno...

D. CARLOS. Vamos... ¿Y adónde ha de ser?

CALAMOCHA. Abajo... Allí he mandado disponer una angosta y fementida mesa que parece un banco de herrador.[81]

RITA. ¿Quién quiere sopas? (*Sale por la puerta del foro con unos platos, taza, cuchara y servilleta.*)

D. CARLOS. Buen provecho.

CALAMOCHA. Si hay alguna real moza que guste de cenar cabrito,[82] levante el dedo.

RITA. La real moza se ha comido ya media cazuela de albondiguillas... Pero lo agradece, señor militar.[83] (*Éntrase al cuarto de D.ª Irene.*)

CALAMOCHA. Agradecida te quiero yo, niña de mis ojos.

D. CARLOS. Conque ¿vamos?

CALAMOCHA. ¡Ay, ay, ay!... (*Calamocha se encamina a la puerta del foro y vuelve; hablan él y D. Carlos con reserva hasta que Calamocha se adelanta a saludar a Simón.*) ¡Eh, chit! Digo...

[78] La frase de Calamocha alude sibilinamente a la expresión familiar 'dar gato por liebre'. Compárese *Entre bobos anda el juego*, I: «Según eso, carnero hay en la venta. — 3.º (*Dentro.*) Huésped, así su nombre se celebre, / véndame un gato que parezca liebre». La glotonería del asistente lo relaciona con el gracioso barroco —aunque limitado— y actúa como factor cómico muy puntual.

[79] Dice el refrán: «Tú que coges el berro, guárdate del anapelo». Éste es una planta algunas de cuyas variedades son venenosas.

[80] *Meco* es villa de la provincia de Madrid, próxima a Alcalá, de famosos trigales y buen pan; *vino de la Tercia*: 'vino excelente, de las afamadas bodegas de la calle de la Tercia, en Alcalá'. Era costumbre que, aun dándose otras posibilidades, los criados preparasen la comida de los señores en las posadas.

[81] El lenguaje del criado recuerda o reproduce el del ingenioso hidalgo, incluso en ese juego de lo real y lo aparente. «El duro, estrecho, apocado y fementido lecho» llama Cervantes a la cama de la venta donde va a dormir don Quijote (I, 16). Al ingenioso hidalgo se le menciona explícitamente en *Entre bobos anda el juego*, I.

[82] *real*: 'magnífica, espléndida'.

[83] Aunque Calamocha no es más que el asistente del teniente, Rita utiliza, en expresión castiza, un lenguaje enaltecedor y halagador muy propio de su condición.

D. CARLOS. ¿Qué?

CALAMOCHA. ¿No ve usted lo que viene por allí?

D. CARLOS. ¿Es Simón?

CALAMOCHA. Él mismo...[84] ¿Pero quién diablos le...?

D. CARLOS. ¿Y qué haremos?

CALAMOCHA. ¿Qué sé yo?... Sonsacarle, mentir y... ¿Me da usted licencia para que...?

D. CARLOS. Sí, miente lo que quieras... ¿A qué habrá venido este hombre?

ESCENA X

SIMÓN, D. CARLOS, CALAMOCHA

Simón sale por la puerta del foro

CALAMOCHA. Simón, ¿tú por aquí?

SIMÓN. Adiós,[85] Calamocha. ¿Cómo va?

CALAMOCHA. Lindamente.

SIMÓN. ¡Cuánto me alegro de...!

D. CARLOS. ¡Hombre! ¿Tú en Alcalá? ¿Pues qué novedad es ésta?

SIMÓN. ¡Oh, que estaba usted ahí, señorito!... ¡Voto va sanes!

D. CARLOS. ¿Y mi tío?

SIMÓN. Tan bueno.

CALAMOCHA. ¿Pero se ha quedado en Madrid o...?

SIMÓN. ¿Quién me había de decir a mí...? ¡Cosa como ella! Tan ajeno estaba yo ahora de... Y usted, de cada vez más guapo...[86] ¿Conque usted irá a ver al tío, eh?

CALAMOCHA. Tú habrás venido con algún encargo del amo.

SIMÓN. ¡Y qué calor traje, y qué polvo por ese camino! ¡Ya, ya!

CALAMOCHA. Alguna cobranza tal vez, ¿eh?

[84] Algunos editores han visto artículo donde había pronombre, como se observa en las primeras ediciones de la obra, ya que el acento aparece claramente en 1825.

[85] Adiós con el sentido de 'hola', y expresando tal vez sorpresa, que no es habitual en nuestros días. Podría ser calco del italiano.

[86] Lo mismo que 'cada vez'; locución adverbial temporal e iterativa que habitualmente prescinde de la preposición. Moratín, sin embargo, la utiliza en varias ocasiones en sus *Obras póstumas*.

D. CARLOS. Puede ser. Como tiene mi tío ese poco de hacienda en Ajalvir...[87] ¿No has venido a eso?

SIMÓN. ¡Y qué buena maula le ha salido el tal administrador![88] Labriego más marrullero y más bellaco no le hay en toda la campiña... ¿Conque usted viene ahora de Zaragoza?

D. CARLOS. Pues... Figúrate tú.

SIMÓN. ¿O va usted allá?

D. CARLOS. ¿Adónde?

SIMÓN. A Zaragoza. ¿No está allí el regimiento?

CALAMOCHA. Pero, hombre, si salimos el verano pasado de Madrid, ¿no habíamos de haber andado más de cuatro leguas? [89]

SIMÓN. ¿Qué sé yo? Algunos van por la posta y tardan más de cuatro meses en llegar...[90] Debe de ser un camino muy malo.

CALAMOCHA. (*Aparte, separándose de Simón.*) ¡Maldito seas tú y tu camino y la bribona que te dio papilla![91]

D. CARLOS. Pero aún no me has dicho si mi tío está en Madrid o en Alcalá, ni a qué has venido, ni...

SIMÓN. Bien, a eso voy... Sí señor, voy a decir a usted... Conque... Pues el amo me dijo...[92]

ESCENA XI

D. DIEGO, D. CARLOS, SIMÓN, CALAMOCHA

D. DIEGO. (*Desde adentro. D. Carlos se turba y se aparta a un extremo del teatro.*) No, no es menester; si hay luz aquí. Buenas noches, Rita.

D. CARLOS. ¡Mi tío!...

[87] Pueblo próximo a Alcalá, en la provincia de Madrid. Se ha recordado que también Moratín tenía cierta finquita —casa y huerta— en Pastrana, pero no debía obtener de ella el nivel de rentas que se le supone a D. Diego.

[88] *maula*: 'persona tramposa o mala pagadora'. En la correspondencia de Moratín abundan las protestas contra su administrador en Pastrana, pero no era caso excepcional.

[89] La *legua* equivalía a 5.572 metros.

[90] Repite Simón, aunque exagerando algo el tiempo invertido, las palabras de su amo en I, 1.

[91] En otros términos, 'la madre que te parió'. Es éste otro ejemplo nítido sobre el proceso de embellecimiento a que Moratín somete el lenguaje coloquial.

[92] La escena, que ha consistido en un juego de sondeo y ocultación mutuo, recuerda vagamente al *Don Juan*, IV, 3, de Molière.

D. DIEGO. ¡Simón! (*Sale del cuarto de D.ª Irene, encaminándose al suyo; repara en D. Carlos y se acerca a él. Simón le alumbra y vuelve a dejar la luz sobre la mesa.*)

SIMÓN. Aquí estoy, señor.

D. CARLOS. (*Aparte.*) ¡Todo se ha perdido![93]

D. DIEGO. Vamos... Pero... ¿Quién es?

SIMÓN. Un amigo de usted, señor.

D. CARLOS. (*Aparte.*) ¡Yo estoy muerto!

D. DIEGO. ¿Cómo un amigo?... ¿Qué?... Acerca esa luz.

D. CARLOS. Tío. (*En ademán de besar la mano a D. Diego, que le aparta de sí con enojo.*)[94]

D. DIEGO. Quítate de ahí.

D. CARLOS. Señor.

D. DIEGO. Quítate... No sé cómo no le... ¿Qué haces aquí?

D. CARLOS. Si usted se altera y...

D. DIEGO. ¿Qué haces aquí?

D. CARLOS. Mi desgracia me ha traído.

D. DIEGO. ¡Siempre dándome que sentir, siempre! Pero... (*Acercándose a D. Carlos.*) ¿Qué dices? ¿De veras ha ocurrido alguna desgracia? Vamos... ¿Qué te sucede?... ¿Por qué estás aquí?[95]

CALAMOCHA. Porque le tiene a usted ley y le quiere bien y...[96]

D. DIEGO. A ti no te pregunto nada... ¿Por qué has venido de Zaragoza sin que yo lo sepa?... ¿Por qué te asusta el verme?... Algo has hecho. Sí, alguna locura has hecho que le habrá de costar la vida a tu pobre tío.

[93] En esta exclamación se resume la revelación que para D. Carlos representa la presencia de su tío en la posada. No se precisan ulteriores aclaraciones. Por parte del joven es evidente qué hace D. Diego allí, en especial después de que Paquita le haya indicado que en la habitación de donde sale se encuentra su madre y su prometido. La decisión, por su parte, está tomada incluso antes de sincerarse con su tío.

[94] Al gesto de respeto de D. Carlos, corriente en la época, responde D. Diego con un gesto no menos expresivo de distanciamiento.

[95] No parece que pueda verse hipocresía en estas palabras. El afecto por su sobrino es real, y la ignorancia de los amores entre los jóvenes le permite esta reacción.

[96] El trato que D. Diego dirige a Calamocha revela la actitud de Moratín —y los neoclásicos en general— hacia el criado entrometido e impertinente al que se debe hacer callar ejerciendo una autoridad que no se presta a discusión. Moratín había censurado en su «Lección poética» a los graciosos del barroco porque «aunque son a su estado desiguales / con todos tratan, le celebran todos, / y se mezcla en asuntos principales».

D. CARLOS. No señor, nunca olvidaré las máximas de honor y prudencia que usted me ha inspirado tantas veces.

D. DIEGO. ¿Pues a qué viniste? ¿Es desafío? ¿Son deudas? ¿Es algún disgusto con tus jefes?...[97] Sácame de esta inquietud... Carlos... Hijo mío, sácame de este afán.

CALAMOCHA. Si todo ello no es más que...

D. DIEGO. Ya te he dicho que calles... Ven acá. (*Tomándole de la mano, se aparta con él a un extremo del teatro y le habla en voz baja.*) Dime qué ha sido.

D. CARLOS. Una ligereza, una falta de sumisión a usted... Venir a Madrid sin pedirle licencia primero... Bien arrepentido estoy, considerando la pesadumbre que le he dado al verme.

D. DIEGO. ¿Y qué otra cosa hay?

D. CARLOS. Nada más, señor.

D. DIEGO. ¿Pues qué desgracia era aquella de que me hablaste?

D. CARLOS. Ninguna. La de hallarle a usted en este paraje... y haberle disgustado tanto, cuando yo esperaba sorprenderle en Madrid, estar en su compañía algunas semanas y volverme contento de haberle visto.

D. DIEGO. ¿No hay más?

D. CARLOS. No, señor.

D. DIEGO. Míralo bien.

D. CARLOS. No, señor... A eso venía. No hay nada más.

D. DIEGO. Pero no me digas tú a mí... Si es imposible que estas escapadas se... No señor... ¿Ni quién ha de permitir que un oficial se vaya cuando se le antoje y abandone de ese modo sus banderas?... Pues si tales ejemplos se repitieran mucho, adiós disciplina militar... Vamos... Eso no puede ser.

D. CARLOS. Considere usted, tío, que estamos en tiempo de paz, que en Zaragoza no es necesario un servicio tan exacto como en otras plazas, en que no se permite descanso a la guarnición... Y, en fin, puede usted creer que este viaje supone la aprobación y la licencia de mis superiores, que yo también miro por mi estimación, y que cuando me he venido estoy seguro de que no hago falta.[98]

[97] Las preguntas del tío aluden a los peores vicios a que podía darse un joven noble.

[98] A pesar de que se le censuró en sus días este abandono del regimiento, que tales aprobaciones o licencias de los superiores podían obtenerse con relativa facilidad lo demuestra el caso de Cadalso, que en su *Autobiografía* menciona varias licencias bien para ir a Zaragoza ciudad, bien para desplazarse a Madrid, donde pasaría muchos meses.

D. DIEGO. Un oficial siempre hace falta a sus soldados. El rey le tiene allí para que los instruya, los proteja y les dé ejemplos de subordinación, de valor, de virtud.[99]

D. CARLOS. Bien está, pero ya he dicho los motivos...

D. DIEGO. Todos esos motivos no valen nada... ¡Porque le dio la gana de ver al tío!... Lo que quiere su tío de usted no es verle cada ocho días, sino saber que es hombre de juicio y que cumple con sus obligaciones.[100] Eso es lo que quiere... Pero (*Alza la voz y se pasea con inquietud*) yo tomaré mis medidas para que estas locuras no se repitan otra vez... Lo que usted ha de hacer ahora es marcharse inmediatamente.

D. CARLOS. Señor, si...

D. DIEGO. No hay remedio... Y ha de ser inmediatamente. Usted no ha de dormir aquí.

CALAMOCHA. Es que los caballos no están ahora para correr... ni pueden moverse.

D. DIEGO. Pues con ellos (*A Calamocha*) y con las maletas al mesón de afuera. Usted (*A D. Carlos*) no ha de dormir aquí... Vamos (*A Calamocha*) tú, buena pieza, menéate. Abajo con todo. Pagar el gasto que se haya hecho, sacar los caballos y marchar...[101] Ayúdale tú... (*A Simón.*) ¿Qué dinero tienes ahí?

SIMÓN. Tendré unas cuatro o seis onzas.[102] (*Saca de un bolsillo algunas monedas y se las da a D. Diego.*)

D. DIEGO. Dámelas acá... Vamos, ¿qué haces? (*A Calamocha.*) ¿No he dicho que ha de ser al instante?... Volando. Y tú (*A Simón*), ve con él, ayúdale, y no te me apartes de allí hasta que se hayan ido.

(*Los dos criados entran en el cuarto de D. Carlos.*)

[99] El oficial del ejército es padre de sus subordinados, lo mismo que el rey lo es de sus súbditos y el cabeza de familia de su prole. El tono, muy propio del despotismo ilustrado, tiene precedentes en Molière, *Tartufo*, V, 2.

[100] El paso del tuteo al usted responde a un endurecimiento en la actitud de D. Diego, modo claro de volver a las formas jerárquicas.

[101] Uso, que se repetirá más adelante, del infinitivo como imperativo. La crítica ha venido resaltando lo inverosímil que resulta el trato a que se ve sometido D. Carlos y lo sumiso de su reacción.

[102] La onza valía 320 reales, luego Simón tiene entre 1.500 y 2.000 reales.

ESCENA XII

D. DIEGO, D. CARLOS

D. DIEGO. Tome usted. (*Le da el dinero.*) Con eso hay bastante para el camino... Vamos, que cuando yo lo dispongo así bien sé lo que me hago... ¿No conoces que es todo por tu bien, y que ha sido un desatino lo que acabas de hacer?...[103] Y no hay que afligirse por eso, ni creas que es falta de cariño... Ya sabes lo que te he querido siempre y, en obrando tú según corresponde, seré tu amigo como lo he sido hasta aquí.

D. CARLOS. Ya lo sé.

D. DIEGO. Pues bien, ahora obedece lo que te mando.

D. CARLOS. Lo haré sin falta.

D. DIEGO. Al mesón de afuera. (*A los criados que salen con los trastos del cuarto de D. Carlos y se van por la puerta del foro.*) Allí puedes dormir mientras los caballos comen y descansan... Y no me vuelvas aquí por ningún pretexto, ni entres en la ciudad... ¡Cuidado! Y a eso de las tres o las cuatro, marchar. Mira que he de saber a la hora que sales. ¿Lo entiendes?

D. CARLOS. Sí, señor.

D. DIEGO. Mira que lo has de hacer.

D. CARLOS. Sí, señor; haré lo que usted manda.

D. DIEGO. Muy bien... Adiós. Todo te lo perdono... Vete con Dios... Y yo sabré también cuándo llegas a Zaragoza; no te parezca que estoy ignorante de lo que hiciste la vez pasada.[104]

D. CARLOS. ¿Pues qué hice yo?

D. DIEGO. Si te digo que lo sé y que te lo perdono, ¿qué más quieres? No es tiempo ahora de tratar de eso. Vete.

D. CARLOS. Quede usted con Dios. (*Hace que se va, y vuelve.*)

D. DIEGO. ¿Sin besar la mano a su tío, eh?

D. CARLOS. No me atreví. (*Besa la mano a D. Diego y se abrazan.*)

D. DIEGO. Y dame un abrazo, por si no nos volvemos a ver.

[103] Pasada la crispación del tío y tomadas las medidas para salir de la situación, se reanuda el tuteo. También D. Diego, lo mismo que D.ª Irene, aunque con posturas diferentes, cree hacer lo mejor para su sobrino.

[104] Hay un nuevo paralelismo entre lo que presume saber D. Diego respecto a su sobrino y lo que creía saber D.ª Irene sobre Paquita.

D. CARLOS. ¿Qué dice usted? ¡No lo permita Dios!

D. DIEGO. ¡Quién sabe, hijo mío! ¿Tienes algunas deudas? ¿Te falta algo?

D. CARLOS. No señor, ahora no.

D. DIEGO. Mucho es, porque tú siempre tiras por largo...[105] Como cuentas con la bolsa del tío... Pues bien, yo escribiré al señor Aznar para que te dé cien doblones de orden mía.[106] Y mira cómo lo gastas... ¿Juegas?

D. CARLOS. No señor, en mi vida.

D. DIEGO. Cuidado con eso... Conque, buen viaje. Y no te acalores, jornadas regulares y nada más... ¿Vas contento?

D. CARLOS. No, señor. Porque usted me quiere mucho, me llena de beneficios, y yo le pago mal.

D. DIEGO. No se hable ya de lo pasado... Adiós.

D. CARLOS. ¿Queda usted enojado conmigo?

D. DIEGO. No, no por cierto... Me disgusté bastante, pero ya se acabó... No me des que sentir. (*Poniéndole ambas manos sobre los hombros.*) Portarse como hombre de bien.

D. CARLOS. No lo dude usted.

D. DIEGO. Como oficial de honor.

D. CARLOS. Así lo prometo.

D. DIEGO. Adiós, Carlos. (*Abrázanse.*)

D. CARLOS. (*Aparte, al irse por la puerta del foro.*) ¡Y la dejo!... ¡Y la pierdo para siempre!

105 'con profusión y sin reparo'.

106 Equivalente a unos 6.000 reales, cantidad nada despreciable si se tiene presente que Moratín cobraba en el obrador de joyería, allá por 1780, 12 reales diarios, y que su sueldo como secretario de Interpretación de Lenguas era de 29.000 reales anuales. El señor Aznar —nombre ficticio— debe de ser el banquero con quien D. Diego tiene tratos en Zaragoza, pero Moratín no se conforma con lo general y ha de concretizar. D. Lucas, en *Entre bobos anda el juego*, III, está muy preocupado por los gastos que le ocasiona su compromiso con D.ª Isabel.

ESCENA XIII

D. DIEGO

Demasiado bien se ha compuesto... Luego lo sabrá enhorabuena... Pero no es lo mismo escribírselo que... Después de hecho, no importa nada... ¡Pero siempre aquel respeto al tío!... Como una malva es.[107] (*Se enjuga las lágrimas, toma una luz y se va a su cuarto. Queda oscura la escena por un breve espacio.*)[108]

ESCENA XIV

D.ª FRANCISCA, RITA

Salen del cuarto de D.ª Irene. Rita saca una luz y la pone sobre la mesa

RITA. Mucho silencio hay por aquí.

D.ª FRANCISCA. Se habrán recogido ya... Estarán rendidos.

RITA. Precisamente.

D.ª FRANCISCA. ¡Un camino tan largo!

RITA. ¡A lo que obliga el amor, señorita!

D.ª FRANCISCA. Sí, bien puedes decirlo: amor... Y yo ¿qué no hiciera por él?

RITA. Y deje usted, que no ha de ser éste el último milagro. Cuando lleguemos a Madrid, entonces será ella... El pobre D. Diego ¡qué chasco se va a llevar! Y, por otra parte, vea usted qué señor tan bueno, que cierto da lástima...

D.ª FRANCISCA. Pues en eso consiste todo. Si él fuese un hombre despreciable, ni mi madre hubiera admitido su pretensión

107 'dócil, sumiso'. Aunque algún crítico consideró ocioso este monólogo, su función no es otra que poner de relieve la mala conciencia de D. Diego ante el proyectado matrimonio: nadie tiene más dudas que él sobre la empresa en que está embarcado; asimismo, realza el afecto hacia su sobrino y la confianza en su virtud y obediencia.

108 En las ediciones anteriores se especificaba que la escena quedaba «sola».

ni yo tendría que disimular mi repugnancia...[109] Pero ya es otro tiempo, Rita. D. Félix ha venido y ya no temo a nadie. Estando mi fortuna en su mano, me considero la más dichosa de las mujeres.

RITA. ¡Ay! Ahora que me acuerdo... Pues poquito me lo encargó... Ya se ve, si con estos amores tengo yo también la cabeza... Voy por él. (*Encaminándose al cuarto de D.ª Irene.*)

D.ª FRANCISCA. ¿A qué vas?

RITA. El tordo, que ya se me olvidaba sacarle de allí.

D.ª FRANCISCA. Sí, tráele, no empiece a rezar como anoche...[110] Allí quedó junto a la ventana... Y ve con cuidado, no despierte mamá.

RITA. Sí... Mire usted el estrépito de caballerías que anda por allá abajo... Hasta que lleguemos a nuestra calle del Lobo,[111] número siete, cuarto segundo, no hay que pensar en dormir... Y ese maldito portón, que rechina que...

D.ª FRANCISCA. Te puedes llevar la luz.

RITA. No es menester, que ya sé dónde está. (*Vase al cuarto de D.ª Irene.*)

ESCENA XV

SIMÓN, D.ª FRANCISCA

Sale por la puerta del foro Simón

D.ª FRANCISCA. Yo pensé que estaban ustedes acostados.

SIMÓN. El amo ya habrá hecho esa diligencia, pero yo todavía no sé en dónde he de tender el rancho...[112] Y buen sueño que tengo.

D.ª FRANCISCA. ¿Qué gente nueva ha llegado ahora?

[109] Éste es otro aspecto sobre el que no puede quedar duda: D. Diego es una persona excelente y un partido inmejorable. El problema es el sentimiento.

[110] Se refiere, claro está, al Gloria Patri y a la oración del Santo Sudario que cantaba en II, 3. La Academia de la Historia sustituyó «rezar» por «cantar».

[111] Véase nota 68 de *La comedia nueva*, I. En *Entre lobos anda el juego*, I, se menciona la calle del Lobo; y en la jornada III, la calle de Francos, actual de Cervantes.

[112] 'echarse para descansar o dormir'.

SIMÓN. Nadie. Son unos que estaban ahí y se han ido.

D.ª FRANCISCA. ¿Los arrieros?

SIMÓN. No, señora. Un oficial y un criado suyo,[113] que parece que se van a Zaragoza.

D.ª FRANCISCA. ¿Quiénes dice usted que son?

SIMÓN. Un teniente coronel y su asistente.

D.ª FRANCISCA. ¿Y estaban aquí?

SIMÓN. Sí, señora; ahí, en ese cuarto.

D.ª FRANCISCA. No los he visto.

SIMÓN. Parece que llegaron esta tarde y... A la cuenta habrán despachado ya la comisión que traían...[114] Conque se han ido... Buenas noches, señorita. (*Vase al cuarto de D. Diego.*)

ESCENA XVI

RITA, D.ª FRANCISCA

D.ª FRANCISCA. ¡Dios mío de mi alma! ¿Qué es esto?... No puedo sostenerme... ¡Desdichada! (*Siéntase en una silla junto a la mesa.*)

RITA. Señorita, yo vengo muerta. (*Saca la jaula del tordo y la deja encima de la mesa; abre la puerta del cuarto de D. Carlos y vuelve.*)

D.ª FRANCISCA. ¡Ay, que es cierto!... ¿Tú lo sabes también?

RITA. Deje usted, que todavía no creo lo que he visto... Aquí no hay nadie... Ni maletas ni ropa ni... ¿Pero cómo podía engañarme? Si yo misma los he visto salir.

D.ª FRANCISCA. ¿Y eran ellos?

RITA. Sí, señora. Los dos.

D.ª FRANCISCA. ¿Pero se han ido fuera de la ciudad?

RITA. Si no los he perdido de vista hasta que salieron por Puerta de Mártires...[115] Como está un paso de aquí.

[113] Las ediciones de 1805 y 1806 decían: «un oficial de caballería». Como fue criticado el que tal oficial clavara los cañones, decidió eludir el arma a que pertenecía D. Carlos.

[114] *a la cuenta*: 'al parecer'.

[115] De esa Puerta, al extremo oriental de la calle Libreros, arrancaba el camino hacia Guadalajara, en dirección a Aragón.

D.ª FRANCISCA. ¿Y ése es el camino de Aragón?

RITA. Ése es.

D.ª FRANCISCA. ¡Indigno!... ¡Hombre indigno![116]

RITA. Señorita...

D.ª FRANCISCA. ¿En qué te ha ofendido esta infeliz?

RITA. Yo estoy temblando toda... Pero... Si es incomprensible... Si no alcanzo a discurrir qué motivos ha podido haber para esta novedad.

D.ª FRANCISCA. ¿Pues no le quise más que a mi vida?... ¿No me ha visto loca de amor?

RITA. No sé qué decir al considerar una acción tan infame.

D.ª FRANCISCA. ¿Qué has de decir? Que no me ha querido nunca ni es hombre de bien... ¿Y vino para esto?... ¡Para engañarme, para abandonarme así! (*Levántase, y Rita la sostiene.*)

RITA. Pensar que su venida fue con otro designio no me parece natural... Celos... ¿Por qué ha de tener celos?... Y aun eso mismo debiera enamorarle más... Él no es cobarde, y no hay que decir que habrá tenido miedo de su competidor.

D.ª FRANCISCA. Te cansas en vano... Di que es un pérfido, di que es un monstruo de crueldad, y todo lo has dicho.

RITA. Vamos de aquí, que puede venir alguien y...

D.ª FRANCISCA. Sí, vámonos... Vamos a llorar... ¡Y en qué situación me deja!... ¿Pero ves qué malvado?

RITA. Sí señora, ya lo conozco.

D.ª FRANCISCA. ¡Qué bien supo fingir!... ¿Y con quién?

[116] También D.ª Isabel, *Entre bobos anda el juego*, III, llama a D. Pedro «falso, alevoso, infiel, / ingrato», aunque son voces muy usuales en el lenguaje amoroso del teatro aurosicular. La sarta de calificativos que emplean Paquita y Rita para con D. Carlos habían sido censurados por Moratín en su «Lección poética»: «Mil lances ha de haber por un retrato, / una banda, una joya, un ramillete, / con lo de infiel, traidor, aleve, ingrato». Clavijo y Fajardo había escrito en *El Pensador*, XXI: «Las iras son propias de verduleras, y se reparte en el discurso de la pieza una cantidad de epítetos de *traidor*, *aleve* y otros semejantes con tanta profusión que parece plaga». Aquí, sin embargo, acentúan el carácter dramático de la escena.

Conmigo... ¿Pues yo merecí ser engañada tan alevosamente?... ¿Mereció mi cariño este galardón?...[117] ¡Dios de mi vida! ¿Cuál es mi delito, cuál es? (*Rita coge la luz, y se van entrambas al cuarto de D.ª Francisca.*)[118]

[117] Voz de hondas resonancias tradicionales, proveniente de la lírica trovadoresca y el amor cortés. Toda la escena participa de lleno en las características propias de la comedia lacrimosa.

[118] La semipenumbra enmarca el estado de desesperación en que se halla la heroína. Con menos significación simbólica, las luces y la oscuridad son esenciales en el desarrollo de la jornada II de *Entre bobos anda el juego*.

ACTO TERCERO[1]

ESCENA I

Teatro oscuro. Sobre la mesa habrá un candelero con vela apagada y la jaula del tordo. Simón duerme tendido en el banco

D. DIEGO, SIMÓN[2]

D. DIEGO. (*Sale de su cuarto poniéndose la bata.*) Aquí, a lo menos, ya que no duerma, no me derretiré...[3] Vaya, si alcoba como ella no se... ¡Cómo ronca éste!... Guardémosle el sueño hasta que venga el día, que ya poco puede tardar... (*Simón despierta y se levanta.*) ¿Qué es eso? Mira no te caigas, hombre.

SIMÓN. ¡Qué! ¿Estaba usted ahí, señor?

D. DIEGO. Sí, aquí me he salido, porque allí no se puede parar.

SIMÓN. Pues yo, a Dios gracias, aunque la cama es algo dura, he dormido como un emperador.

D. DIEGO. ¡Mala comparación!... Di que has dormido como un pobre hombre que no tiene dinero, ni ambición, ni pesadumbres, ni remordimientos.[4]

SIMÓN. En efecto, dice usted bien... ¿Y qué hora será ya?

D. DIEGO. Poco ha que sonó el reloj de San Justo y,[5] si no conté mal, dio las tres.

[1] Han transcurrido entre tres y cuatro horas desde el final del acto anterior. Es, pues, la única pausa algo brusca que se produce en la obra y en la dramaturgia moratiniana.

[2] La edición de 1805 añade: «*D. Carlos, adentro*», puesto que el galán desarrollaba en esta escena un papel —cantando desde el interior— que fue suprimido en posteriores ediciones.

[3] Uso de subjuntivo en una oración concesiva con *ya que* en lugar del habitual *aunque*. Disuena porque parece recoger también el sentido de una oración causal que iría con indicativo. Tal vez, más que el calor ambiente, es el que arde en su pecho el que no deja dormir a D. Diego.

[4] Tema horaciano que Moratín también había desarrollado en sus poesías.

[5] La iglesia de San Justo era la catedralicia de Alcalá, conocida como la Colegiata. Ésta es la única alusión explícita a la hora, momento crucial de la noche oscura que en la escena octava dará paso —en pleno diálogo con Paquita— a la primera luminosidad del alba. La II Jornada de *Entre bobos anda el juego* comienza a hora parecida: «A las dos de la noche, que ya han dado, / de mi media con limpio me has sacado», dice Cabellera. También Jovellanos, en *El delincuente honrado*, reservó el sonido del reloj para el último acto, allí lleno de patetismo.

SIMÓN. ¡Oh! Pues ya nuestros caballeros irán por ese camino adelante echando chispas.

D. DIEGO. Sí, ya es regular que hayan salido... Me lo prometió, y espero que lo hará.

SIMÓN. ¡Pero si usted viera qué apesadumbrado le dejé! ¡Qué triste!

D. DIEGO. Ha sido preciso.

SIMÓN. Ya lo conozco.

D. DIEGO. ¿No ves qué venida tan intempestiva?

SIMÓN. Es verdad... Sin permiso de usted, sin avisarle, sin haber un motivo urgente... Vamos, hizo muy mal... Bien que, por otra parte, él tiene prendas suficientes para que se le perdone esta ligereza... Digo... Me parece que el castigo no pasará adelante, ¿eh?

D. DIEGO. ¡No, qué! No señor. Una cosa es que le haya hecho volver... Ya ves en qué circunstancias nos cogía... Te aseguro que cuando se fue me quedó un ansia en el corazón... (*Suenan a lo lejos tres palmadas, y poco después se oye que puntean un instrumento.*) ¿Qué ha sonado?

SIMÓN. No sé... Gente que pasa por la calle. Serán labradores.

D. DIEGO. Calla.

SIMÓN. Vaya, música tenemos, según parece.

D. DIEGO. Sí, como lo hagan bien.[6]

SIMÓN. ¿Y quién será el amante infeliz que se viene a puntear a estas horas en ese callejón tan puerco?...[7] Apostaré que son amores con la moza de la posada, que parece un mico.[8]

D. DIEGO. Puede ser.

SIMÓN. Ya empiezan, oigamos...[9] (*Tocan una sonata desde*

[6] *como*, con valor condicional.

[7] La suciedad, señalada al hablar de Madrid por algunos viajeros, debía ser aún mayor en los pueblos. Además, no era privativa del interior de las posadas.

[8] Dice Carranza, *Entre bobos anda el juego*, II: «De verla no es ocasión, / y ésta en que la vas a hablar / sólo es hora de buscar / a la moza del mesón». Prototipo de posadera poco agraciada, y en quien tal vez pensaba Moratín, es Maritornes, cuyos cabellos «en alguna manera tiraban a crines», su boca «olía a ensalada fiambre y trasnochada» y su tacto y aliento «pudieran hacer vomitar a otro que no fuera arriero» (*Quijote*, I, 16). Recuérdese también una moza semejante en *La ilustre fregona*, la Argüello.

[9] La edición de 1805 proseguía: «D. CARLOS. (*Canta desde adentro al son del instrumento y en voz baja. D. Diego se adelanta un poco, adentrándose a la ventana.*) *Si duerme y reposa / la bella que adoro, / su paz deliciosa / no turbe mi*

adentro.) Pues dígole a usted que toca muy lindamente el pícaro del barberillo.

D. DIEGO. No, no hay barbero que sepa hacer eso, por muy bien que afeite.[10]

SIMÓN. ¿Quiere usted que nos asomemos un poco a ver...?[11]

D. DIEGO. No, dejarlos... ¡Pobre gente! ¡Quién sabe la importancia que darán ellos a la tal música!...[12] No gusto yo de incomodar a nadie. (*Salen de su cuarto D.ª Francisca y Rita, encaminándose a la ventana. D. Diego y Simón se retiran a un lado y observan.*)

SIMÓN. ¡Señor!... ¡Eh!... Presto, aquí, a un ladito.

D. DIEGO. ¿Qué quieres?

SIMÓN. Que han abierto la puerta de esa alcoba, y huele a faldas que trasciende.

D. DIEGO. ¿Sí?... Retirémonos.[13]

lloro / y en sueños corónela / de dichas Amor. / Pero si su mente / vagando delira, / si me llama ausente, / si celosa expira, / diréla mi bárbaro, / mi fiero dolor. D. DIEGO. Buen estilo, pero canta demasiado quedo». Resulta inverosímil, pese a que la voz de D. Carlos suene quedamente, que D. Diego no reconozca a su sobrino. Éste, por su parte, actúa de un modo que no debía ser del agrado de Moratín, quizá por su parecido con el héroe de la comedia anterior.

[10] La asociación barbero y guitarra formaba parte de la tradición. Sin ir más lejos, Francisco de Castro, en su entremés *El órgano y el mágico*, ponía en boca de un barbero las siguientes palabras: «Ya sabes, Catalina, / que soy barbero aquí, en Fuentelaencina, / y que diversos días / sólo me sustentaban las folías / que tocaba, ¡ay de mí que se desgarra / el alma de pensarlo!, en la guitarra». También Cadalso, en *Suplemento*, se refiere a la misma asociación: «Que contamos por mérito especial el poseer un estoque y tocar, aunque sea mal, la guitarra, a menos que el talento de un mancebo de barbero o el de un torero quiera darse por apetecible en todos los gremios de la nación», dice un viajante a la violeta. Por otra parte, aparece aquí de nuevo la convicción moratiniana de la especialización, es decir, de que cada arte u oficio exige un aprendizaje y una práctica.

[11] Añadía la edición de 1805: «a ese ruiseñor».

[12] Parece recordar aquí Moratín lo que Jovellanos había escrito en su *Memoria sobre el arreglo* respecto a las naturales diversiones del pueblo.

[13] M. Damis también se oculta en la oscuridad, y así averigua que su rival es su propio hijo, en Marivaux, *La escuela de las madres*, 16. La falta de luz acompaña el más acentuado momento de acción de la comedia.

ESCENA II

D.ª FRANCISCA, RITA, D. DIEGO, SIMÓN

RITA. Con tiento, señorita.

D.ª FRANCISCA. Siguiendo la pared, ¿no voy bien?

(*Vuelven a puntear el instrumento.*)

RITA. Sí, señora... Pero vuelven a tocar... Silencio...

D.ª FRANCISCA. No te muevas... Deja... Sepamos primero si es él.

RITA. ¿Pues no ha de ser?... La seña no puede mentir.

D.ª FRANCISCA. Calla...[14] Sí, él es... ¡Dios mío! (*Acércase Rita a la ventana, abre la vidriera y da tres palmadas. Cesa la música.*) Ve, responde... Albricias,[15] corazón. Él es.

SIMÓN. ¿Ha oído usted?

D. DIEGO. Sí.

SIMÓN. ¿Qué querrá decir esto?

D. DIEGO. Calla.

D.ª FRANCISCA. (*Se asoma a la ventana.*[16] *Rita se queda detrás de ella. Los puntos suspensivos indican las interrupciones más o menos largas.*)[17] Yo soy.......... ¿Y qué había de pensar viendo lo que usted acaba de hacer?...[18] ¿Qué fuga es ésta?... Rita (*Apar-*

[14] Proseguía la edición de 1805: «ya canta. D. CARLOS (*Canta.*). *Si duerme y reposa / la bella que adoro...*».

[15] 'buenas noticias'; originariamente, el regalo o regalos que se daba al portador de las buenas nuevas.

[16] Cierto crítico contemporáneo señaló que el lance de la ventana era «vulgarísimo entre nuestros poetas», a lo que otro respondió: «no sé qué razón haya para que ... se quiera privar al autor de acudir a semejantes lances de ventanas».

[17] Normalmente, Moratín utiliza los puntos suspensivos para indicar lo entrecortado del lenguaje coloquial. En este parlamento, y de ahí el número diferente de puntos, lo hace con clara finalidad indicativa de la duración de los silencios: son una acotación más. La edición de 1825 puso puntos suspensivos normales (cuatro, en vez de tres) y, aunque Moratín no lo retocó en sus correcciones, creo preciso restaurar lo publicado en la edición de 1805.

[18] La edición de 1805 añade: «Pero salgamos de dudas...». Los recortes a que sometió Moratín este parlamento responden claramente al deseo de ajustar las palabras de Paquita, y la duración de su actuación, a las circunstancias que se suponen de agitación y apresuramiento.

tándose de la ventana, y vuelve después a asomarse), amiga, por Dios, ten cuidado, y si oyeres algún rumor, al instante avísame...[19] ¿Para siempre? ¡Triste de mí!...... Bien está, tírela usted...[20] Pero yo no acabo de entender... ¡Ay, D. Félix! Nunca le he visto a usted tan tímido... (*Tiran desde adentro una carta que cae por la ventana al teatro. D.ª Francisca la busca y, no hallándola, vuelve a asomarse.*) No, no la he cogido, pero aquí está sin duda... ¿Y no he de saber yo hasta que llegue el día los motivos que tiene usted para dejarme muriendo?[21].......... Sí, yo quiero saberlo de su boca de usted. Su Paquita de usted se lo manda....... ¿Y cómo le parece a usted que estará el mío?... No me cabe en el pecho... Diga usted.

(*Simón se adelanta un poco, tropieza con la jaula y la deja caer.*)[22]

RITA. Señorita, vamos de aquí... Presto, que hay gente.

D.ª FRANCISCA. ¡Infeliz de mí!... Guíame.

RITA. Vamos. (*Al retirarse, tropieza con Simón. Las dos se van al cuarto de D.ª Francisca.*) ¡Ay!

D.ª FRANCISCA. ¡Muerta voy!

ESCENA III

D. DIEGO, SIMÓN

D. DIEGO. ¿Qué grito fue ése?

SIMÓN. Una de las fantasmas,[23] que al retirarse tropezó conmigo.

[19] Este fragmento aparecía en 1805 de este modo: «¿Qué fuga es ésta? Desengáñeme usted, y sepa yo lo que debo esperar...... ¿Para siempre? ¡Triste de mí!...... ¿Qué habla usted de obligación? ¿Tiene usted otra que la de consolar a esta desdichada?..........».

[20] El recurso a la carta, útil desde el punto de vista de la economía dramática y del respeto a la unidad de lugar, había recibido la censura de algunos preceptistas, entre ellos Luzán.

[21] Añade la edición de 1805: «No, yo quiero absolutamente que usted me diga por qué se va, qué inquietud es ésa, qué lenguaje misterioso, oscuro, desconocido para mí...».

[22] Aquí parece justificarse la presencia del tordo desde el comienzo de la obra.

[23] Esta voz, como algunas otras (*tigre, tema*), presentó cierta indeterminación genérica hasta bien entrado el siglo XIX.

D. DIEGO. Acércate a esa ventana y mira si hallas en el suelo un papel... ¡Buenos estamos!

SIMÓN. (*Tentando por el suelo, cerca de la ventana.*) No encuentro nada, señor.

D. DIEGO. Búscale bien, que por ahí ha de estar.

SIMÓN. ¿Le tiraron desde la calle?

D. DIEGO. Sí... ¿Qué amante es éste?... ¡Y diez y seis años, y criada en un convento! Acabó ya toda mi ilusión.

SIMÓN. Aquí está. (*Halla la carta y se la da a D. Diego.*)

D. DIEGO. Vete abajo y enciende una luz... En la caballeriza o en la cocina... Por ahí habrá algún farol... Y vuelve con ella al instante.

(*Vase Simón por la puerta del foro.*)

ESCENA IV

D. DIEGO

¿Y a quién debo culpar? (*Apoyándose en el respaldo de una silla.*) ¿Es ella la delincuente, o su madre, o sus tías, o yo?... ¿Sobre quién..., sobre quién ha de caer esta cólera que por más que lo procuro no la sé reprimir?... ¡La naturaleza la hizo tan amable a mis ojos!... ¡Qué esperanzas tan halagüeñas concebí! ¡Qué felicidades me prometía!... ¡Celos!... ¿Yo?... ¡En qué edad tengo celos!...[24] Vergüenza es... Pero esta inquietud que yo siento, esta indignación, estos deseos de venganza, ¿de qué provienen? ¿Cómo he de llamarlos? Otra vez parece que... (*Advirtiendo que suena ruido en la puerta del cuarto de D.ª Francisca, se retira a un extremo del teatro.*) Sí.

[24] En otro contexto había escrito Moratín en *El viejo y la niña*: «reconozco ahora / que no son edades éstas / para pensar en casorios» (III, 14). En casorios, pero no en celos. Hay expresiones algo semejantes en Marivaux, *La escuela de las madres*, pero sin la carga emocional de éstas.

ESCENA V

RITA, D. DIEGO, SIMÓN

RITA. Ya se han ido... (*Observa, escucha, asómase después a la ventana y busca la carta por el suelo.*) ¡Válgame Dios!... El papel estará muy bien escrito, pero el señor D. Félix es un grandísimo picarón... ¡Pobrecita de mi alma!... Se muere sin remedio... Nada, ni perros parecen por la calle... ¡Ojalá no los hubiéramos conocido! Y este maldito papel... Pues buena la hiciéramos si no pareciese... ¿Qué dirá?... Mentiras, mentiras y todo mentira.[25]

SIMÓN. Ya tenemos luz. (*Sale con luz. Rita se sorprende.*)

RITA. ¡Perdida soy!

D. DIEGO. (*Acercándose.*) ¡Rita! ¿Pues tú aquí?

RITA. Sí señor, porque....

D. DIEGO. ¿Qué buscas a estas horas?[26]

RITA. Buscaba... Yo le diré a usted... Porque oímos un ruido tan grande...

D. DIEGO. Sí, ¿eh?

RITA. Cierto... Un ruido y... y mire usted (*Alza la jaula que está en el suelo*), era la jaula del tordo... Pues la jaula era, no tiene duda... ¡Válgate Dios! ¿Si se habrá muerto?... No, vivo está, vaya... Algún gato habrá sido... Preciso.

SIMÓN. Sí, algún gato.

RITA. ¡Pobre animal! ¡Y qué asustadillo se conoce que está todavía!

SIMÓN. Y con mucha razón... ¿No te parece? Si le hubiera pillado el gato...

RITA. Se le hubiera comido. (*Cuelga la jaula de un clavo que habrá en la pared.*)

SIMÓN. Y sin pebre...[27] Ni plumas hubiera dejado.

D. DIEGO. Tráeme esa luz.

[25] Es una versión moratiniana del «Words, words, words» de *Hamlet*, que él mismo tradujera como «Palabras, palabras, todo palabras». Del protagonista shakespeariano a la criada del español.

[26] A partir del hallazgo y lectura de la carta por D. Diego su actitud cobra una dimensión en cierto modo irónica y en gran medida paternal y protectora.

[27] 'salsa de pimienta, ajo, perejil y vinagre'.

RITA. ¡Ah! Deje usted, encenderemos ésta (*Enciende la vela que está sobre la mesa*), que ya lo que no se ha dormido...

D. DIEGO. Y D.ª Paquita, ¿duerme?

RITA. Sí, señor.

SIMÓN. Pues mucho es que con el ruido del tordo...

D. DIEGO. Vamos. (*Se entra en su cuarto. Simón va con él, llevándose una de las luces.*)

ESCENA VI

D.ª FRANCISCA, RITA

D.ª FRANCISCA. ¿Ha parecido el papel?

RITA. No, señora

D.ª FRANCISCA. ¿Y estaban aquí los dos cuando tú saliste?

RITA. Yo no lo sé. Lo cierto es que el criado sacó una luz y me hallé de repente, como por máquina,[28] entre él y su amo, sin poder escapar ni saber qué disculpa darles. (*Coge la luz y vuelve a buscar la carta cerca de la ventana.*)

D.ª FRANCISCA. Ellos eran, sin duda... Aquí estarían cuando yo hablé desde la ventana... ¿Y ese papel?

RITA. Yo no le encuentro, señorita.

D.ª FRANCISCA. Lo tendrán ellos, no te canses... Si es lo único que faltaba a mi desdicha... No le busques. Ellos le tienen.

RITA. A lo menos por aquí...

D.ª FRANCISCA. ¡Yo estoy loca! (*Siéntase.*)

RITA. Sin haberse explicado este hombre, ni decir siquiera...

D.ª FRANCISCA. Cuando iba a hacerlo, me avisaste, y fue preciso retirarnos... Pero ¿sabes tú con qué temor me habló, qué agitación mostraba? Me dijo que en aquella carta vería yo los motivos justos que le precisaban a volverse, que la había escrito para dejársela a persona fiel que la pusiera en mis manos, suponiendo que el verme sería imposible. Todo engaños, Rita, de un hombre aleve que prometió lo que no pensaba cumplir...[29] Vino, halló

[28] 'mediante un efecto especial de tramoya'; traduce la expresión *deus ex machina* con que, en terminología teatral, se alude a cualquier mecanismo ajeno a la propia dinámica dramática para provocar un cambio de situación o el desenlace.

[29] *aleve*: 'traidor, infiel, desleal'.

un competidor y diría: pues yo ¿para qué he de molestar a nadie ni hacerme ahora defensor de una mujer?... ¡Hay tantas mujeres!... Cásenla... Yo nada pierdo. Primero es mi tranquilidad que la vida de esa infeliz... ¡Dios mío, perdón!... ¡Perdón de haberle querido tanto!

RITA. ¡Ay, señorita! (*Mirando hacia el cuarto de D. Diego.*) Que parece que salen ya.

D.ª FRANCISCA. No importa, déjame.

RITA. Pero si D. Diego la ve a usted de esa manera...

D.ª FRANCISCA. Si todo se ha perdido ya, ¿qué puedo temer?... ¿Y piensas tú que tengo alientos para levantarme?... Que vengan, nada importa.[30]

ESCENA VII

D. DIEGO, SIMÓN, D.ª FRANCISCA, RITA

SIMÓN. Voy enterado, no es menester más.

D. DIEGO. Mira y haz que ensillen inmediatamente al Moro,[31] mientras tú vas allá. Si han salido, vuelves, montas a caballo y en una buena carrera que des los alcanzas... ¿Las dos aquí, eh?...[32] Conque vete, no se pierda tiempo. (*Después de hablar los dos junto al cuarto de D. Diego, se va Simón por la puerta del foro.*)

SIMÓN. Voy allá.

D. DIEGO. Mucho se madruga, D.ª Paquita.

D.ª FRANCISCA. Sí, señor.

D. DIEGO. ¿Ha llamado ya D.ª Irene?

[30] La reacción de D.ª Francisca es muy parecida a la que tendrá D. Carlos cuando se proponga partir a la guerra con la clara intención de buscar la muerte. No hay rebelión, sino desesperación y abandono.

[31] Hasta el caballo tiene aquí un nombre concreto, tal vez por su color negro oscuro y brillante, con una mancha blanca en la frente.

[32] Todas las ediciones en vida de Moratín —incluso la de 1825 corregida por él— leen «las», pero algunos editores posteriores lo han venido corrigiendo en «los», suponiendo que D. Diego se refiere a D. Carlos y Calamocha. Pero —sigo la opinión de algún crítico solvente— puede estar pensando en voz alta en la escena nocturna, en Rita y Paquita.

D.ª FRANCISCA. No, señor... Mejor es que vayas allá por si ha despertado y se quiere vestir.

(*Rita se va al cuarto de D.ª Irene.*)

ESCENA VIII

D. DIEGO, D.ª FRANCISCA

D. DIEGO. Usted no habrá dormido bien esta noche.
D.ª FRANCISCA. No, señor. ¿Y usted?
D. DIEGO. Tampoco.
D.ª FRANCISCA. Ha hecho demasiado calor.
D. DIEGO. ¿Está usted desazonada?
D.ª FRANCISCA. Alguna cosa.
D. DIEGO. ¿Qué siente usted? (*Siéntase junto a D.ª Francisca.*)
D.ª FRANCISCA. No es nada... Así, un poco de... Nada..., no tengo nada.
D. DIEGO. Algo será, porque la veo a usted muy abatida, llorosa, inquieta... ¿Qué tiene usted, Paquita? ¿No sabe usted que la quiero tanto?[33]
D.ª FRANCISCA. Sí, señor.
D. DIEGO. ¿Pues por qué no hace usted más confianza de mí?[34] ¿Piensa usted que no tendré yo mucho gusto en hallar ocasiones de complacerla?
D.ª FRANCISCA. Ya lo sé.
D. DIEGO. ¿Pues cómo, sabiendo que tiene usted un amigo, no desahoga con él su corazón?
D.ª FRANCISCA. Porque eso mismo me obliga a callar.

[33] Ese estado —reflejado en los gestos más que en el lenguaje— la mostraba ante los espectadores como verdadera y única víctima del sistema, produciendo momentos de hondísima ternura y llanto. D. Diego parece desarmado ante ese estado. Afectado por ello, y con evidente cariño, quiere aprovechar esta única entrevista a solas (situación similar a la que tienen los jóvenes y cuya irregularidad no ha sido destacada) para lograr la sinceridad de la niña. Las respuestas deslavazadas de ésta no son tanto fruto de un supuesto papel femenino —que le impediría estructurar un discurso— como resultado de la angustia y el deseo de seguir callando.

[34] Parece calco galicista; sin embargo también Mayans escribe en 1733: «para que los oyentes *hagan confianza del* que haga».

D. DIEGO. Eso quiere decir que tal vez soy yo la causa de su pesadumbre de usted.

D.ª FRANCISCA. No señor, usted en nada me ha ofendido... No es de usted de quien yo me debo quejar.

D. DIEGO. ¿Pues de quién, hija mía?... Venga usted acá... (*Acércase más.*)[35] Hablemos siquiera una vez sin rodeos ni disimulación...[36] Dígame usted, ¿no es cierto que usted mira con algo de repugnancia este casamiento que se la propone? ¿Cuánto va que si la dejasen a usted entera libertad para la elección no se casaría conmigo?

D.ª FRANCISCA. Ni con otro.

D. DIEGO. ¿Será posible que usted no conozca otro más amable que yo, que le quiera bien y que la corresponda como usted merece?[37]

D.ª FRANCISCA. No señor, no señor.

D. DIEGO. Mírelo usted bien.

D.ª FRANCISCA. ¿No le digo a usted que no?

D. DIEGO. ¿Y he de creer, por dicha, que conserve usted tal inclinación al retiro en que se ha criado que prefiera la austeridad del convento a una vida más...?

D.ª FRANCISCA. Tampoco, no señor... Nunca he pensado así.

D. DIEGO. No tengo empeño de saber más... Pero de todo lo que acabo de oír resulta una gravísima contradicción.[38] Usted no se halla inclinada al estado religioso, según parece. Usted me asegura que no tiene queja ninguna de mí, que está persuadida de lo mucho que la estimo, que no piensa casarse con otro ni debo recelar que nadie me dispute su mano... ¿Pues qué llanto es ése? ¿De dónde nace esa tristeza profunda que en tan poco tiempo ha alterado su semblante de usted en términos que apenas le reconozco? ¿Son éstas las señales de quererme exclusivamente

[35] Aumenta la cercanía física y también la confianza, pero la confesión del amor que Paquita oculta no sale de su boca.

[36] También M. Damis interroga de modo parecido a Angélique en Marivaux, *La escuela de las madres*, 12, pero con resultados diferentes.

[37] Todos los editores han cambiado «le quiera» por «la quiera», pero la idea de Moratín no se presta a dudas: se refiere al amor que *ella* pueda sentir hacia algún joven que *la* corresponda.

[38] Del caos entrecortado de Paquita surge la lógica coherente y trabada: deducción, hipótesis deductiva, interrogación que no puede ser todavía conclusión.

a mí, de casarse gustosa conmigo dentro de pocos días? ¿Se anuncian así la alegría y el amor?

(*Vase iluminando lentamente la escena, suponiendo que viene la luz del día.*)[39]

D.ª FRANCISCA. ¿Y qué motivos le he dado a usted para tales desconfianzas?

D. DIEGO. ¿Pues qué? Si yo prescindo de estas consideraciones, si apresuro las diligencias de nuestra unión, si su madre de usted sigue aprobándola y llega el caso de...

D.ª FRANCISCA. Haré lo que mi madre me manda y me casaré con usted.

D. DIEGO. ¿Y después, Paquita?

D.ª FRANCISCA. Después... y mientras me dure la vida, seré mujer de bien.[40]

D. DIEGO. Eso no lo puedo yo dudar... Pero si usted me considera como el que ha de ser hasta la muerte su compañero y su amigo, dígame usted, estos títulos ¿no me dan algún derecho para merecer de usted mayor confianza? ¿No he de lograr que usted me diga la causa de su dolor? Y no para satisfacer una impertinente curiosidad,[41] sino para emplearme todo en su consuelo, en mejorar su suerte, en hacerla dichosa, si mi conato y mis diligencias pudiesen tanto.[42]

D.ª FRANCISCA. ¡Dichas para mí!... Ya se acabaron.

D. DIEGO. ¿Por qué?

D.ª FRANCISCA. Nunca diré por qué.

D. DIEGO. Pero ¡qué obstinado, qué imprudente silencio!... Cuando usted misma debe presumir que no estoy ignorante de lo que hay.

D.ª FRANCISCA. Si usted lo ignora, señor D. Diego, por

39 Se anuncia con un juego de luces cierta esperanza en la asfixiante situación de la niña, a pesar de que D. Diego todavía va a presionarla, lo mismo que hará con su sobrino. No es aún el alba, que hará innecesaria la luz artificial de la escena XI.

40 El concepto de «mujer de bien», por lo que se desprende de las comedias moratinianas, no es exactamente idéntico al de «hombre de bien». Ésta ha de ser sensible, inocente, fiel, recatada, modesta pero sociable, buena ama de casa y buena madre.

41 Recuérdese el título y tema de la novelita intercalada por Cervantes en el *Quijote*, «El curioso impertinente» (I, 33-35).

42 *conato*: 'esfuerzo, empeño'.

Dios no finja que lo sabe, y si en efecto lo sabe usted, no me lo pregunte.

D. DIEGO. Bien está. Una vez que no hay nada que decir, que esa aflicción y esas lágrimas son voluntarias, hoy llegaremos a Madrid, y dentro de ocho días será usted mi mujer.

D.ª FRANCISCA. Y daré gusto a mi madre.

D. DIEGO. Y vivirá usted infeliz.[43]

D.ª FRANCISCA. Ya lo sé.

D. DIEGO. Ve aquí los frutos de la educación.[44] Esto es lo que se llama criar bien a una niña: enseñarla a que desmienta y oculte las pasiones más inocentes con una pérfida disimulación. Las juzgan honestas luego que las ven instruidas en el arte de callar y mentir. Se obstinan en que el temperamento, la edad ni el genio no han de tener influencia alguna en sus inclinaciones, o en que su voluntad ha de torcerse al capricho de quien las gobierna. Todo se las permite, menos la sinceridad. Con tal que no digan lo que sienten, con tal que finjan aborrecer lo que más desean, con tal que se presten a pronunciar cuando se lo manden un sí perjuro, sacrílego, origen de tantos escándalos,[45] ya están bien criadas, y se llama excelente educación la que inspira en ellas el temor, la astucia y el silencio de un esclavo.

D.ª FRANCISCA. Es verdad... Todo eso es cierto... Eso exigen de nosotras, eso aprendemos en la escuela que se nos

[43] Las palabras de D. Diego muestran con nitidez que toda esperanza en el amor de D.ª Paquita ha desaparecido y que lo que sigue no dejan de ser pruebas que realiza, intentos de aclarar lo que para él ya está claro. La sencillez y realismo del diálogo debió de conmover a un auditorio poco acostumbrado a tales cosas.

[44] Todo este párrafo recibió la más severa crítica por parte del Santo Oficio: «La deformidad moral e irreligiosa de esta calumnia es tan patente como detestable», aunque la Academia de la Historia no lo modificó; sin embargo, ideas semejantes se contenían en *El viejo y la niña* (comedia que también topó con la Iglesia en forma de vicario eclesiástico): «¿No sabéis que nos enseñan / a obedecer ciegamente, / a que el semblante desmienta / lo que sufre el corazón? / Cuidadosamente observan / nuestros pasos, y llamando / al disimulo modestia, / padece el alma y... no importa; / con tal que calle, padezca» (III, 13). El alegato contra la educación no se encuentra en Marivaux.

[45] Son las consecuencias funestas a que se refería antes, peligro central contra el que arremete Moratín, ofreciendo su propia solución.

da...[46] Pero el motivo de mi aflicción es mucho más grande.[47]

D. DIEGO. Sea cual fuere, hija mía, es menester que usted se anime... Si la ve a usted su madre de esa manera, ¿qué ha de decir?... Mire usted que ya parece que se ha levantado.

D.ª FRANCISCA. ¡Dios mío!

D. DIEGO. Sí, Paquita, conviene mucho que usted vuelva un poco sobre sí... No abandonarse tanto... Confianza en Dios...[48] Vamos, que no siempre nuestras desgracias son tan grandes como la imaginación las pinta... ¡Mire usted qué desorden éste! ¡Qué agitación! ¡Qué lágrimas! Vaya, ¿me da usted palabra de presentarse así..., con cierta serenidad y..., eh?

D.ª FRANCISCA. Y usted, señor... Bien sabe usted el genio de mi madre. Si usted no me defiende, ¿a quién he de volver los ojos? ¿Quién tendrá compasión de esta desdichada?[49]

D. DIEGO. Su buen amigo de usted... Yo... ¿Cómo es posible que yo la abandonase... ¡criatura!... en la situación dolorosa en que la veo? (*Asiéndola de las manos.*)

D.ª FRANCISCA. ¿De veras?

D. DIEGO. Mal conoce usted mi corazón.

D.ª FRANCISCA. Bien le conozco. (*Quiere arrodillarse; D. Diego se lo estorba, y ambos se levantan.*)

D. DIEGO. ¿Qué hace usted, niña?

D.ª FRANCISCA. Yo no sé... ¡Qué poco merece toda esa bondad una mujer tan ingrata para con usted!... No, ingrata no, infeliz... ¡Ay, qué infeliz soy, señor D. Diego![50]

D. DIEGO. Yo bien sé que usted agradece como puede el amor

[46] Un crítico de la época, indignado ante las palabras con que Paquita responde a D. Diego, la increpó imaginariamente: «¡Bendita sea tu boca, hija mía, que así honras a tu tía la monja que te educó!».

[47] La respuesta de Paquita revela que la crítica contra la educación que reciben las señoritas o contra el proyecto de un matrimonio desigual no es el tema de la obra. Éste trasciende en mucho esos aspectos puramente aparentes.

[48] Frente a la religiosidad de carcasa, el Dios al que se confía D. Diego está más cerca del laicismo deísta en que se funden razón, crítica, sinceridad y amor al prójimo.

[49] Hallándose Paquita verdaderamente sola y desvalida e impotente en este momento, la figura de D. Diego se recorta como la del buen amigo y el buen padre. Su gesto da forma al sentimiento de gratitud y cariño. Y el silencio está lleno de afectos y complicidades.

[50] Muy distinta es la reacción de Angélique, en Marivaux, *La escuela de las madres*, 12, que se lamenta de la edad del viejo.

que la tengo... Lo demás todo ha sido... ¿qué sé yo?... una equivocación mía y no otra cosa... Pero usted, ¡inocente!, usted no ha tenido la culpa.

D.ª FRANCISCA. Vamos... ¿No viene usted?

D. DIEGO. Ahora no, Paquita. Dentro de un rato iré por allá.

D.ª FRANCISCA. Vaya usted presto. (*Encaminándose al cuarto de D.ª Irene, vuelve y se despide de D. Diego besándole las manos.*)

D. DIEGO. Sí, presto iré.[51]

ESCENA IX

SIMÓN, D. DIEGO

SIMÓN. Ahí están, señor.

D. DIEGO. ¿Qué dices?

SIMÓN. Cuando yo salía de la puerta, los vi a lo lejos que iban ya de camino. Empecé a dar voces y hacer señas con el pañuelo; se detuvieron, y apenas llegué le dije al señorito lo que usted mandaba, volvió las riendas y está abajo. Le encargué que no subiera hasta que le avisara yo, por si acaso había gente aquí y usted no quería que le viesen.

D. DIEGO. ¿Y qué dijo cuando le diste el recado?

SIMÓN. Ni una sola palabra... Muerto viene... Ya digo, ni una sola palabra... A mí me ha dado compasión el verle así tan...

D. DIEGO. No empieces ya a interceder por él.

SIMÓN. ¿Yo, señor?

D. DIEGO. Sí, que no te entiendo yo... ¡Compasión!... Es un pícaro.

SIMÓN. Como yo no sé lo que ha hecho.

D. DIEGO. Es un bribón que me ha de quitar la vida... Ya te he dicho que no quiero intercesores.

SIMÓN. Bien está, señor. (*Vase por la puerta del foro. D. Diego se sienta, manifestando inquietud y enojo.*)

D. DIEGO. Dile que suba.

[51] Escribe un crítico contemporáneo que esta escena «hace derramar lágrimas de compasión y ternura ... Es trágica esta escena, dirá alguno; trágica es, repetiré yo; sea el drama sentimental, sea la tragedia en prosa ... pero conmoved e interesad de este modo y os apruebo al minuto».

ESCENA X

D. CARLOS, D. DIEGO

D. DIEGO. Venga usted acá, señorito, venga usted...[52] ¿En dónde has estado desde que no nos vemos?

D. CARLOS. En el mesón de afuera.

D. DIEGO. ¿Y no has salido de allí en toda la noche, eh?

D. CARLOS. Sí señor, entré en la ciudad y...

D. DIEGO. ¿A qué?... Siéntese usted.

D. CARLOS. Tenía precisión de hablar con un sujeto... (*Siéntase.*)

D. DIEGO. ¡Precisión!

D. CARLOS. Sí, señor... Le debo muchas atenciones y no era posible volverme a Zaragoza sin estar primero con él.

D. DIEGO. Ya. En habiendo tantas obligaciones de por medio... Pero venirle a ver a las tres de la mañana me parece mucho desacuerdo... ¿Por qué no le escribiste un papel?... Mira, aquí he de tener... Con este papel que le hubieras enviado en mejor ocasión no había necesidad de hacerle trasnochar ni molestar a nadie. (*Dándole el papel que tiraron a la ventana. D. Carlos, luego que le reconoce, se le vuelve y se levanta en ademán de irse.*)

D. CARLOS. Pues si todo lo sabe usted, ¿para qué me llama? ¿Por qué no me permite seguir mi camino y se evitaría una contestación de la cual ni usted ni yo quedaremos contentos?

D. DIEGO. Quiere saber su tío de usted lo que hay en esto, y quiere que usted se lo diga.

D. CARLOS. ¿Para qué saber más?

D. DIEGO. Porque yo lo quiero y lo mando ¡oiga!

D. CARLOS. Bien está.

D. DIEGO. Siéntate ahí... (*Siéntase D. Carlos.*) ¿En dónde has conocido a esta niña?... ¿Qué amor es éste? ¿Qué circunstancias han ocurrido?... ¿Qué obligaciones hay entre los dos? ¿Dónde, cuándo la viste?[53]

[52] Aunque recurre al uso de «usted», al acompañarlo del diminutivo se intuye un cambio de tono en D. Diego. Ya no es el hombre irritado, sino el consciente de la realidad y que, conocedor de todas las cartas, se dispone a jugarlas con una habilidad que no exime del dolor.

[53] Ante la extensión del relato, D. Diego lo va a interrumpir en varias ocasiones. La dinámica teatral lo exigía.

D. CARLOS. Volviéndome a Zaragoza el año pasado, llegué a Guadalajara sin ánimo de detenerme, pero el intendente, en cuya casa de campo nos apeamos, se empeñó en que había de quedarme allí todo aquel día por ser cumpleaños de su parienta,[54] prometiéndome que al día siguiente me dejaría proseguir mi viaje. Entre las gentes convidadas hallé a D.ª Paquita, a quien la señora había sacado aquel día del convento para que se esparciese un poco... Yo no sé qué vi en ella que excitó en mí una inquietud, un deseo constante, irresistible, de mirarla, de oírla, de hallarme a su lado, de hablar con ella, de hacerme agradable a sus ojos... El intendente dijo entre otras cosas..., burlándose..., que yo era muy enamorado, y le ocurrió fingir que me llamaba D. Félix de Toledo.[55] Yo sostuve esa ficción porque desde luego concebí la idea de permanecer algún tiempo en aquella ciudad, evitando que llegase a noticia de usted... Observé que D.ª Paquita me trató con un agrado particular y, cuando por la noche nos separamos, yo quedé lleno de vanidad y de esperanzas, viéndome preferido a todos los concurrentes de aquel día, que fueron muchos. En fin... Pero no quisiera ofender a usted refiriéndole...

D. DIEGO. Prosigue.

D. CARLOS. Supe que era hija de una señora de Madrid, viuda y pobre, pero de gente muy honrada... Fue necesario fiar de mi amigo los proyectos de amor que me obligaban a quedarme en su compañía; y él, sin aplaudirlos ni desaprobarlos,[56] halló disculpas las más ingeniosas para que ninguno de su familia extrañara mi detención. Como su casa de campo está inmediata a la ciudad, fácilmente iba y venía de noche... Logré que D.ª Paquita leyese algunas cartas mías; y con las pocas respuestas que de ella tuve, acabé de precipitarme en una pasión que mientras viva me hará infeliz.

[54] Es decir, su esposa.

[55] Las ediciones de 1805 y 1806 añaden: «nombre que dio Calderón a algunos amantes en sus comedias». Y así es, efectivamente, en *Antes que todo es mi dama, Los empeños de un acaso* y *También hay duelo en las damas*. Un crítico contemporáneo no dejó escapar el detalle para acusar a Moratín de «criticar a nuestros poetas en cabeza del célebre Calderón». No debe olvidarse que el enamorado de D.ª Isabel en *Entre bobos anda el juego* parece llamarse D. Pedro de Toledo. También Éraste y M. Damis, en *La escuela de las madres*, de Marivaux, adoptan una falsa identidad.

[56] Forma de exculpar al intendente de toda responsabilidad por tercería o celestinaje indecoroso en una figura de cierto rango militar.

D. DIEGO. Vaya... Vamos, sigue adelante.

D. CARLOS. Mi asistente (que, como usted sabe, es hombre de travesura y conoce el mundo), con mil artificios que a cada paso le ocurrían, facilitó los muchos estorbos que al principio hallábamos... La seña era dar tres palmadas, a las cuales respondían con otras tres desde una ventanilla que daba al corral de las monjas. Hablábamos todas las noches, muy a deshora, con el recato y las precauciones que ya se dejan entender... Siempre fui para ella D. Félix de Toledo, oficial de un regimiento, estimado de mis jefes y hombre de honor. Nunca la dije más, ni la hablé de mis parientes ni de mis esperanzas, ni la di a entender que casándose conmigo podría aspirar a mejor fortuna, porque ni me convenía nombrarle a usted ni quise exponerla a que las miras del interés y no el amor la inclinasen a favorecerme. De cada vez la hallé más fina, más hermosa, más digna de ser adorada... Cerca de tres meses me detuve allí; pero al fin era necesario separarnos, y una noche funesta me despedí, la dejé rendida a un desmayo mortal y me fui, ciego de amor, adonde mi obligación me llamaba... Sus cartas consolaron por algún tiempo mi ausencia triste, y en una que recibí pocos días ha me dijo cómo su madre trataba de casarla, que primero perdería la vida que dar su mano a otro que a mí, me acordaba mis juramentos, me exhortaba a cumplirlos... Monté a caballo, corrí precipitado el camino, llegué a Guadalajara, no la encontré, vine aquí... Lo demás bien lo sabe usted, no hay para qué decírselo.

D. DIEGO. ¿Y qué proyectos eran los tuyos en esta venida?

D. CARLOS. Consolarla, jurarla de nuevo un eterno amor, pasar a Madrid, verle a usted, echarme a sus pies, referirle todo lo ocurrido y pedirle, no riquezas, ni herencias, ni protecciones, ni... eso no... Sólo su consentimiento y su bendición para verificar un enlace tan suspirado, en que ella y yo fundábamos toda nuestra felicidad.

D. DIEGO. Pues ya ves, Carlos, que es tiempo de pensar muy de otra manera.[57]

D. CARLOS. Sí, señor.

[57] No puede entenderse lo que dice D. Diego como un intento de continuar pugnando por el amor de Paquita. Es evidente que está tanteando a su sobrino, poniéndolo a prueba para averiguar el tipo y calidad del afecto que siente hacia la joven, para obrar en consecuencia.

D. DIEGO. Si tú la quieres, yo la quiero también. Su madre y toda su familia aplauden este casamiento. Ella..., y sean las que fueren las promesas que a ti te hizo..., ella misma no ha media hora me ha dicho que está pronta a obedecer a su madre y darme la mano, así que...

D. CARLOS. Pero no el corazón. (*Levántase.*)[58]

D. DIEGO. ¿Qué dices?

D. CARLOS. No, eso no... Sería ofenderla... Usted celebrará sus bodas cuando guste; ella se portará siempre como conviene a su honestidad y a su virtud;[59] pero yo he sido el primero, el único objeto de su cariño, lo soy y lo seré... Usted se llamará su marido, pero si alguna o muchas veces la sorprende y ve sus ojos hermosos inundados en lágrimas, por mí las vierte... No la pregunte usted jamás el motivo de sus melancolías... Yo, yo seré la causa... Los suspiros que en vano procurará reprimir serán finezas dirigidas a un amigo ausente.[60]

D. DIEGO. ¿Qué temeridad es ésta?[61] (*Se levanta con mucho enojo, encaminándose hacia D. Carlos, que se va retirando.*)

D. CARLOS. Ya se lo dije a usted... Era imposible que yo hablase una palabra sin ofenderle... Pero acabemos esta odiosa conversación... Viva usted feliz y no me aborrezca, que yo en nada le he querido disgustar... La prueba mayor que yo puedo darle de mi obediencia y mi respeto es la de salir de aquí inmediatamente... Pero no se me niegue a lo menos el consuelo de saber que usted me perdona.[62]

[58] La brusca afirmación de D. Carlos y su gesto automático, seguido por las palabras en que habla de Paquita como posible malcasada, representan el grado máximo de rebelión a que va a llegar el galán. Reclama los derechos del amor y anuncia la desgracia que va a significar la violación de los mismos, pero no por ello desafía a su tío.

[59] Del mismo modo que lo había hecho, a pesar de todo, la Isabel de *El viejo y la niña*. Renuncia semejante hace Dorante en Marivaux, *La madre confidente*, III, 4.

[60] Recuérdese la cancioncilla que entonaba D. Carlos en la edición de 1805, llena de connotaciones. Y en *El viejo y la niña*, D. Juan le dice a su amada ya perdida: «Quiéreme bien, piensa en mí, / tal vez hallará consuelo / mi dolor cuando imagine / que de la hermosa que pierdo / alguna lágrima, algún / tierno suspiro merezco» (II, 11). Respetado el orden familiar con su sacrificio, lo único que le queda a D. Carlos de esa pasión es el sueño de un adulterio platónico y a distancia.

[61] No se trata de la temeridad a que aludía D. Carlos, para descartarla, en II, 7. Mas bien parece tratarse de *otra* temeridad: la de la insumisión o el desafío a la autoridad.

[62] Con la renuncia, D. Carlos le ha dado a su tío todas las pruebas que pre-

D. DIEGO. ¿Conque en efecto te vas?

D. CARLOS. Al instante, señor... Y esta ausencia será bien larga.

D. DIEGO. ¿Por qué?

D. CARLOS. Porque no me conviene verla en mi vida... Si las voces que corren de una próxima guerra se llegaran a verificar...[63] Entonces...

D. DIEGO. ¿Qué quieres decir? (*Asiendo de un brazo a D. Carlos le hace venir más adelante.*)

D. CARLOS. Nada... Que apetezco la guerra porque soy soldado.

D. DIEGO. ¡Carlos!... ¡Qué horror!... ¿Y tienes corazón para decírmelo?

D. CARLOS. Alguien viene... (*Mirando con inquietud hacia el cuarto de D.ª Irene, se desprende de D. Diego y hace que se va por la puerta del foro. D. Diego va detrás de él y quiere detenerle.*) Tal vez será ella... Quede usted con Dios.

D. DIEGO. ¿Adónde vas?... No señor, no has de irte.

D. CARLOS. Es preciso... Yo no he de verla... Una sola mirada nuestra pudiera causarle a usted inquietudes crueles.

D. DIEGO. Ya he dicho que no ha de ser... Entra en ese cuarto.

D. CARLOS. Pero si...

D. DIEGO. Haz lo que te mando.

(*Éntrase D. Carlos en el cuarto de D. Diego.*)

cisaba para que actúe y se muestre como el buen padre que es. Pero va a apuntarse algo imprevisto: la alusión púdica al suicidio.

[63] Tampoco aquí parece aludirse a ninguna guerra concreta, sino al hecho, siempre posible por las circunstancias de la época, de un nuevo conflicto. Lo que en realidad hace D. Carlos es anunciar su deseo de ir en busca de una muerte casi segura, que acarrearía la pérdida definitiva de cualquier posible felicidad para su tío.

ESCENA XI

D.ª IRENE, D. DIEGO

D.ª IRENE. Conque, señor D. Diego, ¿es ya la de vámonos?... Buenos días...[64] (*Apaga la luz que está sobre la mesa.*)[65] ¿Reza usted?

D. DIEGO. (*Paseándose con inquietud.*) Sí, para rezar estoy ahora.

D.ª IRENE. Si usted quiere, ya pueden ir disponiendo el chocolate, y que avisen al mayoral para que enganchen luego que... ¿Pero qué tiene usted, señor?... ¿Hay alguna novedad?

D. DIEGO. Sí, no deja de haber novedades.

D.ª IRENE. ¿Pues qué?... Dígalo usted, por Dios... ¡Vaya, vaya!... No sabe usted lo asustada que estoy... Cualquiera cosa, así, repentina, me remueve toda y me... Desde el último mal parto que tuve quedé tan sumamente delicada de los nervios... Y va para diez y nueve años, si no son veinte; pero desde entonces, ya digo, cualquiera friolera me trastorna... Ni los baños, ni caldos de culebra, ni la conserva de tamarindo, nada me ha servido, de manera que...[66]

D. DIEGO. Vamos, ahora no hablemos de malos partos ni de conservas... Hay otra cosa más importante de que tratar... ¿Qué hacen esas muchachas?

D.ª IRENE. Están recogiendo la ropa y haciendo el cofre para que todo esté a la vela y no haya detención.[67]

[64] La absoluta ceguera de D.ª Irene ante lo que sucede se pone de relieve por este sencillo procedimiento: mientras las pasiones se agitan y se masca la tragedia, ella ha dormido plácidamente.

[65] «El alba es el verdadero desenlace de la obra, el triunfo de la luz sobre las tinieblas» (Casalduero).

[66] Los baños se recomendaban a personas con trastornos nerviosos —el mismo Moratín los tomó por prescripción médica—; la culebra tiene grandes virtudes medicinales, tanto su carne como su piel, y ocupó un lugar muy importante en la farmacopea de Europa; el fruto del tamarindo se utiliza como laxante ligero y refrescante. Aunque estos remedios no eran bien vistos por los ilustrados, formaban parte de una medicina popular en la que sí creía D.ª Irene. Moratín, en carta del 12 de septiembre de 1815, le aconseja a Dionisio Solís, esposo de la actriz María Ribera —que hizo el papel de D.ª Irene en el estreno de la obra—, entre burlas y veras: «Cuídela usted y distráigala de sus melancolías y, aun si fuera necesario, hágala creer que los caldos de culebra y la conserva de tamarindos la pondrán como nueva».

[67] *estar a la vela*: 'estar preparado, sin faltar detalle'.

D. DIEGO. Muy bien. Siéntese usted... Y no hay que asustarse ni alborotarse (*Siéntanse los dos*) por nada de lo que yo diga; y cuenta, no nos abandone el juicio cuando más le necesitamos... Su hija de usted está enamorada...

D.ª IRENE. ¿Pues no lo he dicho ya mil veces? Sí señor que lo está, y bastaba que yo lo dijese para que...

D. DIEGO. ¡Este vicio maldito de interrumpir a cada paso!... Déjeme usted hablar.

D.ª IRENE. Bien, vamos, hable usted.

D. DIEGO. Está enamorada, pero no está enamorada de mí.

D.ª IRENE. ¿Qué dice usted?

D. DIEGO. Lo que usted oye.

D.ª IRENE. ¿Pero quién le ha contado a usted esos disparates?[68]

D. DIEGO. Nadie. Yo lo sé, yo lo he visto, nadie me lo ha contado, y cuando se lo digo a usted bien seguro estoy de que es verdad... Vaya ¿qué llanto es ése?

D.ª IRENE. ¡Pobre de mí! (*Llora.*)

D. DIEGO. ¿A qué viene eso?

D.ª IRENE. ¡Porque me ven sola y sin medios, y porque soy una pobre viuda, parece que todos me desprecian y se conjuran contra mí!

D. DIEGO. Señora D.ª Irene...

D.ª IRENE. Al cabo de mis años y de mis achaques verme tratada de esta manera, como un estropajo, como una puerca cenicienta,[69] vamos al decir... ¿Quién lo creyera de usted?... ¡Válgame Dios!... ¡Si vivieran mis tres difuntos!... Con el último difunto que me viviera, que tenía un genio como una serpiente...[70]

D. DIEGO. Mire usted, señora, que se me acaba ya la paciencia.

D.ª IRENE. Que lo mismo era replicarle que se ponía hecho una furia del infierno, y un día del Corpus, yo no sé por qué

[68] El padre de D.ª Isabel, *Entre bobos anda el juego*, III, ante los posibles amores de su hija y D. Pedro, le dice a D. Lucas: «No lo creáis».

[69] Posible alusión a la protagonista del famosísimo cuento de Perrault.

[70] La crítica ha relacionado —con muchos visos de plausibilidad— al último marido de D.ª Irene con el esposo de doña María Ortiz, ex militar y padre de Paquita Muñoz, que tenía la costumbre de zurrar a su esposa e hija, como puede verse en el *Diario* de Moratín o en su *Epistolario*.

friolera, hartó de mojicones a un comisario ordenador,[71] y si no hubiera sido por dos padres del Carmen que se pusieron de por medio le estrella contra un poste en los portales de Santa Cruz.[72]

D. DIEGO. ¿Pero es posible que no ha de atender usted a lo que voy a decirla?

D.ª IRENE. ¡Ay, no señor!, que bien lo sé, que no tengo pelo de tonta, no señor... Usted ya no quiere a la niña y busca pretextos para zafarse de la obligación en que está... ¡Hija mía de mi alma y de mi corazón!

D. DIEGO. Señora D.ª Irene, hágame usted el gusto de oírme, de no replicarme, de no decir despropósitos, y luego que usted sepa lo que hay, llore y gima, y grite y diga cuanto quiera...[73] Pero, entretanto, no me apure usted el sufrimiento, por el amor de Dios.[74]

D.ª IRENE. Diga usted lo que le dé la gana.

D. DIEGO. Que no volvamos otra vez a llorar y a...

D.ª IRENE. No señor, ya no lloro.[75] (*Enjugándose las lágrimas con un pañuelo.*)

D. DIEGO. Pues hace ya cosa de un año, poco más o menos, que D.ª Paquita tiene otro amante. Se han hablado muchas veces, se han escrito, se han prometido amor, fidelidad, constancia... Y, por último, existe en ambos una pasión tan fina que las dificultades y la ausencia, lejos de disminuirla, han contribuido eficazmente a hacerla mayor. En este supuesto...

D.ª IRENE. ¿Pero no conoce usted, señor, que todo es un chisme inventado por alguna mala lengua que no nos quiere bien?

D. DIEGO. Volvemos otra vez a lo mismo... No señora, no es chisme. Repito de nuevo que lo sé.

D.ª IRENE. ¿Qué ha de saber usted, señor, ni qué traza tiene eso de verdad? ¡Conque la hija de mis entrañas, encerrada en un

[71] 'el que, en las provincias donde hay tropas, distribuye las órdenes a los otros comisarios'.

[72] En la calle de Atocha, muy cerca de la plaza Mayor madrileña.

[73] Las quejas y llantinas que caracterizan a D.ª Irene eran cosa muy frecuente en la casa de Paquita Muñoz.

[74] El dolor de la renuncia, que ya se manifestaba en III, 4, vuelve a repetirse aquí: no es gesto gratuito ni racionalidad fría, se trata de aceptar lo razonable de la fuerza de la naturaleza que se paga en moneda de sentimiento.

[75] En esta expresión —propia del niño a quien se regaña y acaba induciéndosele a que deje el llanto— culmina, en boca de D.ª Irene, la extraña ilación de ideas que le ha precedido.

convento, ayunando los siete reviernes,[76] acompañada de aquellas santas religiosas! ¡Ella, que no sabe lo que es mundo, que no ha salido todavía del cascarón como quien dice!...[77] Bien se conoce que no sabe usted el genio que tiene Circuncisión... Pues bonita es ella para haber disimulado a su sobrina el menor desliz.

D. DIEGO. Aquí no se trata de ningún desliz, señora D.ª Irene; se trata de una inclinación honesta de la cual hasta ahora no habíamos tenido antecedente alguno. Su hija de usted es una niña muy honrada y no es capaz de deslizarse... Lo que digo es que la madre Circuncisión, y la Soledad, y la Candelaria,[78] y todas las madres, y usted, y yo el primero, nos hemos equivocado solemnemente. La muchacha se quiere casar con otro y no conmigo... Hemos llegado tarde; usted ha contado muy de ligero con la voluntad de su hija... Vaya ¿para qué es cansarnos? Lea usted ese papel y verá si tengo razón. (*Saca el papel de D. Carlos y se le da a D.ª Irene. Ella, sin leerle, se levanta muy agitada, se acerca a la puerta de su cuarto y llama. Levántase D. Diego y procura en vano contenerla.*)

D.ª IRENE. ¡Yo he de volverme loca!... ¡Francisquita!... ¡Virgen del Tremedal...![79] ¡Rita! ¡Francisca!

D. DIEGO. ¿Pero a qué es llamarlas?

D.ª IRENE. Sí señor, que quiero que venga y se desengañe la pobrecita de quién es usted.[80]

D. DIEGO. Lo echó todo a rodar... Esto le sucede a quien se fía de la prudencia de una mujer.[81]

[76] Los siete viernes que siguen a la Pascua de Resurrección y en los cuales el ayuno hacía merecedor a ciertas indulgencias. La Inquisición pidió que se borrase esta alusión «por ser cosa impopular mezclar cosas santas y buenas con las profanas».

[77] Dice el refrán: 'Aún no ha salido del cascarón y ya tiene presunción'.

[78] La edición de la Academia de la Historia prefirió suprimir todos los nombres de las monjas, supliéndolos por un genérico «todas las tías, y las parientas».

[79] A lo largo del siglo se publicaron varias ediciones de la historia de Nuestra Señora del Tremedal, y en 1793 apareció un compendio anónimo. Esta clase de interjecciones le debían de gustar a Moratín, quien acude a una Virgen de Copacabana en un poema burlesco que compuso en edad ya avanzada.

[80] La explicación de D.ª Irene no deja de ser un subterfugio, puesto que, en realidad, ella no puede enterarse de lo que sucede ya que, como se va a ver, los nervios no la dejan leer.

[81] Es evidente que Moratín piensa en el título de la comedia de Tirso, *La prudencia en la mujer*, con D.ª María de Molina por heroína. En una graciosa escena, D.ª Irene logrará sus objetivos.

ESCENA XII

D.ª FRANCISCA, RITA, D.ª IRENE, D. DIEGO

RITA. Señora.

D.ª FRANCISCA. ¿Me llamaba usted?

D.ª IRENE. Sí, hija, sí; porque el señor D. Diego nos trata de un modo que ya no se puede aguantar. ¿Qué amores tienes, hija? ¿A quién has dado palabra de matrimonio? ¿Qué enredos son éstos?... Y tú, picarona... Pues tú también lo has de saber... Por fuerza lo sabes... ¿Quién ha escrito este papel? ¿Qué dice?... (*Presentando el papel abierto a D.ª Francisca.*)

RITA. (*Aparte, a D.ª Francisca.*) Su letra es.

D.ª FRANCISCA. ¡Qué maldad!... Señor D. Diego, ¿así cumple usted su palabra?

D. DIEGO. Bien sabe Dios que no tengo la culpa... Venga usted aquí... (*Tomando de una mano a D.ª Francisca, la pone a su lado.*) No hay que temer... Y usted, señora, escuche y calle, y no me ponga en términos de hacer un desatino... Deme usted ese papel... (*Quitándola el papel.*) Paquita, ya se acuerda usted de las tres palmadas de esta noche.

D.ª FRANCISCA. Mientras viva me acordaré.

D. DIEGO. Pues éste es el papel que tiraron a la ventana... No hay que asustarse, ya lo he dicho. (*Lee.*) *Bien mío: Si no consigo hablar con usted, haré lo posible para que llegue a sus manos esta carta. Apenas me separé de usted, encontré en la posada al que yo llamaba mi enemigo y, al verle, no sé cómo no expiré de dolor. Me mandó que saliera inmediatamente de la ciudad y fue preciso obedecerle. Yo me llamo D. Carlos, no D. Félix. D. Diego es mi tío. Viva usted dichosa y olvide para siempre a su infeliz amigo. — Carlos de Urbina.*

D.ª IRENE. ¿Conque hay eso?

D.ª FRANCISCA. ¡Triste de mí!

D.ª IRENE. ¿Conque es verdad lo que decía el señor, grandísima picarona? Te has de acordar de mí. (*Se encamina hacia D.ª Francisca muy colérica y en ademán de querer maltratarla. Rita y D. Diego lo estorban.*)

D.ª FRANCISCA. ¡Madre!... ¡Perdón!

D.ª IRENE. No señor, que la he de matar.[82]
D. DIEGO. ¿Qué locura es ésta?
D.ª IRENE. He de matarla.

ESCENA XIII

D. CARLOS, D. DIEGO, D.ª IRENE,
D.ª FRANCISCA, RITA

Sale D. Carlos del cuarto precipitadamente; coge de un brazo a D.ª Francisca, se la lleva hacia el fondo del teatro y se pone delante de ella para defenderla. D.ª Irene se asusta y se retira

D. CARLOS. Eso no... Delante de mí nadie ha de ofenderla.[83]
D.ª FRANCISCA. ¡Carlos!
D. CARLOS. (*A D. Diego.*) Disimule usted mi atrevimiento... He visto que la insultaban y no me he sabido contener.
D.ª IRENE. ¿Qué es lo que me sucede, Dios mío? ¿Quién es usted?... ¿Qué acciones son éstas?... ¿Qué escándalo...?[84]
D. DIEGO. Aquí no hay escándalos... Ése es de quien su hija de usted está enamorada... Separarlos y matarlos viene a ser lo mismo... Carlos... No importa... Abraza a tu mujer.[85]

(*Se abrazan D. Carlos y D.ª Francisca y después se arrodillan a los pies de D. Diego.*)

D.ª IRENE. ¿Conque su sobrino de usted?...[86]
D. DIEGO. Sí señora, mi sobrino, que con sus palmadas y

[82] Ya antes, D.ª Irene había amenazado con matar a su hija; aquí está dispuesta a pasar a la agresión física. Las sevicias a que se veían sometidos los hijos alcanzaban, al parecer, niveles de auténtica brutalidad. Reacción algo semejante tiene la mamá de Angélique en Marivaux, *La escuela de las madres*, 18.

[83] 'agredirla', físicamente. D. Carlos desobedece a su tío para enfrentarse con la encarnación del pasado autoritario y arbitrario.

[84] Parecida situación en Marivaux, *La escuela de las madres*, 19.

[85] De D. Diego —y sólo de él— sale la renuncia que —tras el dolor pero con firmeza— rompe la dinámica de lo antiguo para penetrar en la modernidad.

[86] En esta interrogación se resume la rápida aceptación del cambio que se está produciendo ante sus ojos. El vínculo de parentesco garantiza el acceso a la fortuna de D. Diego. El resto carece de importancia.

su música y su papel me ha dado la noche más terrible que he tenido en mi vida... ¿Qué es esto, hijos míos, qué es esto?

D.ª FRANCISCA. ¿Conque usted nos perdona y nos hace felices?

D. DIEGO. Sí, prendas de mi alma... Sí. (*Los hace levantar con expresión de ternura.*)

D.ª IRENE. ¿Y es posible que usted se determina a hacer un sacrificio?...

D. DIEGO. Yo pude separarlos para siempre y gozar tranquilamente la posesión de esta niña amable, pero mi conciencia no lo sufre...[87] ¡Carlos!... ¡Paquita! ¡Qué dolorosa impresión me deja en el alma el esfuerzo que acabo de hacer!... Porque, al fin, soy hombre miserable y débil.[88]

D. CARLOS. Si nuestro amor (*Besándole las manos*), si nuestro agradecimiento pueden bastar a consolar a usted en tanta pérdida...[89]

D.ª IRENE. ¡Conque el bueno de D. Carlos! Vaya que...

D. DIEGO. Él y su hija de usted estaban locos de amor, mientras usted y las tías fundaban castillos en el aire y me llenaban la cabeza de ilusiones que han desaparecido como un sueño... Esto resulta del abuso de autoridad, de la opresión que la juventud padece, éstas son las seguridades que dan los padres y los tutores, y esto lo que se debe fiar en el sí de las niñas...[90] Por una casualidad he sabido a tiempo el error en que estaba... ¡Ay de aquellos que lo saben tarde!

D.ª IRENE. En fin, Dios los haga buenos, y que por muchos años se gocen... Venga usted acá, señor, venga usted, que quiero

[87] Las palabras de D. Diego sólo pueden interpretarse en un sentido: él podía ser el esposo de Paquita porque a ella sí podría obligarla su madre a contraer matrimonio, provocando la separación definitiva de los jóvenes. Por su parte, no habría sido ningún abuso de autoridad. Así se realza lo desprendido y sentimental de su renuncia.

[88] Tal vez, resonancia del «poor man» shakespeariano, en *Hamlet*, I, 5.

[89] Al fin, D. Diego logra en y por los corazones de los jóvenes la felicidad que buscaba creyendo que pasaba por su propia carne y su descendencia directa.

[90] La mención del título de la obra poco antes de concluir la representación, «aquel sí que se pronuncia con dos letras y da que llorar mil años» (Cervantes, *El viejo celoso*), era rasgo generalizado en la comedia barroca —aunque aún no estén estudiados concluyentemente los mecanismos versificatorios que funcionan para anunciar su finalización—. Aquí, además, sirve para volver a enunciar la idea central de la pieza.

abrazarle... (*Abrazando a D. Carlos. D.ª Francisca se arrodilla y besa la mano a su madre.*)[91] Hija, Francisquita. ¡Vaya! Buena elección has tenido... Cierto que es un mozo muy galán... Morenillo,[92] pero tiene un mirar de ojos muy hechicero.

RITA. Sí, dígaselo usted, que no lo ha reparado la niña... Señorita, un millón de besos. (*Se besan D.ª Francisca y Rita.*)

D.ª FRANCISCA. ¿Pero ves qué alegría tan grande?... ¡Y tú, como me quieres tanto!... Siempre, siempre serás mi amiga.[93]

D. DIEGO. Paquita hermosa (*Abraza a D.ª Francisca*), recibe los primeros abrazos de tu nuevo padre... No temo ya la soledad terrible que amenazaba mi vejez... Vosotros (*Asiendo de las manos a D.ª Francisca y a D. Carlos*) seréis la delicia de mi corazón; y el primer fruto de vuestro amor... Sí, hijos, aquél... No hay remedio, aquél es para mí. Y cuando lo acaricie en mis brazos podré decir: a mí me debe su existencia este niño inocente; si sus padres viven,[94] si son felices, yo he sido la causa.

D. CARLOS. ¡Bendita sea tanta bondad!

D. DIEGO. Hijos, bendita sea la de Dios.[95]

[91] La obrita de Marivaux también concluye —como es tópico en la comedia lacrimosa— con los personajes de rodillas, repartiendo besos y abrazos.

[92] Es difícil saber hasta qué punto la morenez se valora aquí como un aspecto negativo.

[93] La amistad de Rita sustituye a la mala madre despótica y arbitraria. La criada ocupa un lugar sin semejanza en la comedia áurea.

[94] Recoge esta alusión la velada amenaza de suicidio que había hecho D. Carlos y el mortal dolor que hubiera conllevado la consumación del proyectado matrimonio.

[95] La felicidad humana va acompañada de la creencia y exaltación de un Dios bondadoso que ha dado al hombre la inteligencia —razón y sensibilidad— para alcanzar por sí mismo la verdad.

Retrato de Moratín. Litografía incluida en *Obras de don Leandro Fernández de Moratín*, Aguado, Madrid, 1830.

NOTICIA DE LEANDRO FERNÁNDEZ DE MORATÍN Y «LA COMEDIA NUEVA» Y «EL SÍ DE LAS NIÑAS»

POR

JESÚS PÉREZ MAGALLÓN

EL AUTOR

Leandro Fernández de Moratín, hijo de Nicolás Fernández de Moratín, afamado hombre de letras, epicentro del círculo más notable de intelectuales de la corte –relacionado con la famosa tertulia de la Fonda de San Sebastián–, nació el 10 de marzo de 1760 en Madrid. De su infancia y primera juventud es poco lo que se sabe con certeza, excepto que a los cuatro años sufre de viruelas, lo que marca su rostro y, al parecer, su carácter. En 1779 se da a conocer por el accésit que obtiene su poema *La toma de Granada* en el concurso que convoca la Real Academia Española. En 1782 vuelve a obtener el accésit por la *Sátira contra los vicios introducidos por los malos poetas en la poesía castellana*.

Aunque su padre había cursado estudios de derecho en la Universidad de Valladolid, favorecido y costeado por la reina Isabel de Farnesio, cuando llegó el momento de que Leandro siguiese el mismo camino, don Nicolás, movido por su propia experiencia tanto como por la actitud ideológica de los ilustrados hacia la universidad española y su urgente y necesaria reforma, prefirió que su hijo renunciase a ello. En su lugar, lo puso a aprender dibujo, pensando enviarlo a estudiar a Roma, proyecto este que no se llevaría a cabo. El resultado fue que Leandro se vio metido a dibujante de joyas al servicio de su tío Vittorio Galeoti, en la joyería del rey. La carencia de un título universitario, unida a la ausencia de patrimonio familiar, hizo que el dramaturgo tuviera que buscarse la vida en unas condiciones harto más precarias que sus amigos y compañeros. Asimismo, la formación intelectual y cultural de Leandro se forjó en dos ámbitos tan distantes y diferentes como la escuela de primeras letras y la enseñanza recibida de su mismo padre y el círculo de sus contertulios. El autodidactismo de Moratín fue, por tanto, muy especial, ya que no sólo se nutre de lecturas mejor o peor digeridas, sino de la fuente constante de aprendizaje que será su padre y el círculo en que se mueve, el grupo de intelectuales más activo del momento.

En 1780 fallece don Nicolás, y lo que fue una pérdida para las letras castellanas lo fue doblemente para un Leandro de veinte años que se queda sin padre, instructor, guía y cabeza de familia. Es más, sobre sus espaldas recae la responsabilidad de atender económicamente las necesidades de su madre y él mismo. Contando con escasos recursos –doce reales diarios, que pronto serán catorce, más horas extras, una reducida pensión de su madre y algunos otros ingresos–, el control del dinero y su administración será una de las obsesiones puntuales de Leandro.

Un factor esencial en su desarrollo intelectual y creativo será el encuentro con Juan Antonio Melón, León de Arroyal, Pedro de Estala y Navarrete. Melón sitúa ese encuentro en 1781, iniciándose muy pronto tertulias diarias en la celda del padre Estala, a las que se sumaría Forner algo después. Durante los años que van de 1781 a 1787, esas reuniones debieron de satisfacer y compensar el fervor intelectual de un Leandro encerrado durante horas en su obrador de joyería. Sus amigos le ayudaron sin duda a sobrellevar la desaparición de su madre, doña Isidora Cabo, en 1785, año en que pasa a vivir con su tío Nicolás Miguel. Durante esta época escribe *El viejo y la niña*, que no subirá a las tablas hasta 1790. Aunque en 1782 había solicitado entrar en el Real Guardajoyas, no lo consigue y debe seguir en el obrador, que abandonará definitivamente a comienzos de 1787, cuando por intercesión de Jovellanos ante Francisco Cabarrús y de Melón ante el tío Nicolás Miguel, acompañe como secretario a Cabarrús, enviado a la capital francesa en misión diplomática. En París frecuenta a Melón, que también se halla allí, pero la misión del conde termina sin resultados y a principios del año siguiente se encuentra de nuevo en Madrid. Proyecta un viaje a Inglaterra con los hijos del conde, pero éste cae pronto en desgracia y es encarcelado. Leandro queda al albur de los acontecimientos y comprueba de cerca lo útil e imprescindible que es estar al lado de «los buenos», pero también lo frágil e inestable que es el poder.

A fines de 1788 solicita la plaza de bibliotecario segundo en los Reales Estudios de San Isidro, pero la plaza recae en Trigueros. También, según Silvela, aspira a un puesto de copista, sin obtenerlo. Pasa, pues, a depender enteramente de su tío, que lo mantiene a su lado. Escribe *El barón* –en forma de zarzuela– a instancias de la condesa-duquesa de Benavente y avanza en la composición de *La mojigata*, en tanto sus esfuerzos por que se represente *El viejo y la niña* topan con la iglesia, encarnada en el vicario eclesiástico de Madrid, que niega la licencia. La inseguridad le empuja a jugar otra carta: le envía un romance jocoso al conde de Floridablanca –quien, al parecer, gustaba de ese tipo de versos– y obtiene una prestamera de trescientos ducados en el arzobispado de Burgos. Leandro recibe las órdenes menores y se convierte en abate, figura emblemática de la época. Junto a Melón y Forner logra conocer a Manuel Godoy. Éste le consigue un beneficio en Montoro –que anula lo de Burgos– y una pensión de seiscientos ducados sobre la mitra de Oviedo. Forner, por su parte, obtiene que se le nombre fiscal en Sevilla. En 1789 publica *La derrota de los pedantes*, y la intervención de Godoy posibilita el estreno de *El viejo y la niña* el 22 de mayo de 1790. Garantizados unos ingresos regulares, aunque no excesivos, se retira a Pastrana y compone *La comedia nueva*, que subirá a los escenarios el 7 de febrero de 1792.

No tardará en caer Floridablanca, dejando como sucesor a Aranda y creyéndose inminente la desgracia de Godoy. Esa situación algo turbia empuja a Moratín a salir de nuevo a Europa, con la excusa de aumentar sus conocimientos en materia dramática. Inicia entonces un periplo europeo que se alargará mucho más de lo previsto, en parte gracias a la ayuda económica que recibirá más tarde por intermedio de Godoy, y que lo llevará a Francia, aún bajo la onda expansiva de la Revolución, a Inglaterra, donde aprende con dificultades la lengua de Shakespeare, traduce *Hamlet* (que publicaría en 1798) y algún poemita, y escribe sus *Apuntaciones sueltas de Inglaterra*. Es probable que también allí corrigiera o concluyera *El tutor*, obra que, pese a los elogios públicos e impresos de Estala, será destruida por las críticas negativas que en Italia le hará Arteaga. Las brumas londinenses no le hacen olvidar su mayor preocupación: un empleo fijo. Sorprendido y satisfecho por el ascenso de Godoy, le escribe y le sugiere la posibilidad de crear a su medida el cargo de bibliotecario del príncipe y, más adelante, un plan de reforma teatral, con el consiguiente puesto de director de los teatros, diseñado para un individuo exactamente como Moratín. Ninguna de ambas propuestas tiene eco en Godoy. Pero sí logra treinta mil reales para seguir su viaje, que se extenderá durante tres años más, pasados principalmente en Italia. Allí entra en contacto con Arteaga, Azara y los colegiales de San Clemente, en Bolonia. Las visitas «serias» –lo útil– se complementan con lo deleitable, la frecuentación de jóvenes mujeres galantes (Annucia, Angélica). Escribe algunos de sus más hermosos poemas y redacta los numerosos cuadernos del *Viaje a Italia*. El 11 de diciembre de 1796 está de vuelta en Algeciras.

Tras el fallecimiento de Felipe de Samaniego, secretario de Interpretación de Lenguas, Melón solicita el empleo para su amigo; la intervención de Godoy es decisiva para que lo obtenga. Así, a los treinta y siete años logra el primer empleo estable y bien remunerado: casi treinta mil reales al año. Pasa, pues, a vivir como un alto funcionario, y hasta la invasión francesa llevará una vida tranquila y desahogada. Compra casas en Madrid y una huerta con dos casas en Pastrana. Era, por fin, la estabilidad y una cierta posición: sin títulos ni patrimonio, Moratín se ve aupado a la élite de la administración del estado. Se sumerge en los menesteres de la secretaría, con tratamiento y honores de secretario de Su Majestad, aunque de segunda fila. Sigue escribiendo poemas, vuelve a sus costumbres y relaciones, a sus antiguos hábitos (públicos y privados) y a nuevas amistades. Conoce en 1798 a Paquita Muñoz y su madre, quienes dan alojamiento a su amigo José Antonio Conde. En 1799 probablemente ha empezado a trabajar en *El sí de las niñas*; ha convertido en comedia lo que nació como zarzuela, *El barón*, y la lee en casa de Juan Tineo –donde se reúnen los Acalófilos (amantes de lo feo), sociedad de amigos cultos y sarcásticos de la que poco se sabe–; se producen nuevas representaciones de *El viejo y la niña* y *La comedia nueva*. La de esta última empuja a Moratín a reclamar que los papeles se repartan según las características de los personajes y que se realicen ensayos según las orientaciones del autor.

Los partidarios de la reforma teatral presionan y la actitud de Leandro es refrendada por el corregidor y, más tarde, por una Real Orden de 21 de noviembre de 1799, que erige en norma legal el objetivo perseguido por los neoclásicos, constituyéndose una Junta de Reforma de los Teatros que margina de la gestión teatral al Ayuntamiento. Es el éxito, al fin, de Moratín, Urquijo y Díez González, que culmina los intentos de Luzán, Nasarre, Montiano, Clavijo y Fajardo o don Nicolás. A Leandro se le nombra director de los teatros; éxito efímero, porque renunciaría al cargo cuatro días después, y en enero de 1803 se terminaba con la actividad de la Junta. En 1800 es nombrado corrector de comedias antiguas. Y sigue escribiendo. En 1801 lee a sus amigos la primera versión acabada de *El sí de las niñas*. En el terreno lírico, arremete contra lo que califica de «nuevo culteranismo», es decir, la poesía de Meléndez Valdés, Cienfuegos, Mor de Fuentes y Quintana, apoyados por Munárriz, traductor de las *Lecciones sobre la retórica y las bellas letras* de Hugh Blair. La agresividad contra los reformadores –entre quienes descuella Moratín– se libera en los incidentes que rodean el estreno de *El barón*, el 28 de enero de 1803. El 19 de mayo de 1804 estrena *La mojigata*. Al año siguiente se repone *El barón*, y el 4 de enero de 1806 se estrena *El sí de las niñas*, la obra de mayor éxito de toda la época. Es el momento culminante del Moratín dramaturgo, pues en adelante sólo traducirá, adaptándolas, algunas obras de Molière.

La entrada de las tropas francesas en la Península y la reacción popular contra la invasión sitúan a Moratín, como a todo intelectual del momento, ante el dilema de tomar partido. Moratín opta por los franceses, el único partido que podía tomar: el que representaba la ilustración, la perspectiva de la civilización, la razón y el orden; asimismo, el que le garantizaba la continuidad, la seguridad económica y la estabilidad. Ello presuponía el control de la chusma insurrecta, capaz, a su juicio, como había comprobado en Francia, de las mayores atrocidades. No es difícil imaginar la reacción ante la guerra de un Moratín que se había aterrorizado ante una tormenta marina.

Bajo José I Bonaparte sigue con su secretaría, propone la publicación de un *Prontuario de Leyes* y es nombrado individuo de la Junta de Teatros, creada a fines de 1810. Se traslada a Vitoria con el ejército invasor tras la derrota de Bailén, y con él regresa ocupando su secretaría hasta que en 1811 es nombrado bibliotecario mayor de la Biblioteca Real, donde sigue recogiendo materiales para sus futuros *Orígenes del teatro español*. Al año siguiente se estrena *La escuela de los maridos*, versión moratiniana de Molière. Y en pleno verano, época odiosa para Leandro, que no soporta los calores caniculares, huye de Madrid hacia Valencia, donde se reúne una tertulia en la librería de Faulí, con Marchena, Meléndez y otros. El gobernador encarga a Estala y a él mismo que se hagan cargo del *Diario de Valencia*, donde Moratín publica algunos poemas. Tomada la ciudad por las tropas realistas, se presenta ante el nuevo gobernador, general Elío, fernandista exaltado, quien lo insulta públicamente y lo envía a Francia, pasando por Barcelona. El barón de Eroles, gobernador de la ciudad, le permite permanecer en ella hasta que Madrid decida sobre su persona. Pese a los reparos iniciales de Leandro contra la ciudad, su lengua y sus gentes, se acomoda en la calle Petritxol, inicia la preparación de sus comedias, la edición de las obras póstumas de su padre y una antología de sonetos; escribe diversos poemas, acude al teatro diariamente y representa *El médico a palos*, otra versión de Molière. Diversas razones –entre las cuales no ocupan un lugar secundario las económicas– hacen que pase a Francia en 1817, y en París se instala con su amigo Melón y Luisa Gómez Carabaño. Cuando éstos vuelven a Madrid, Moratín se va a Bolonia, y allí permanece hasta que se restablece la constitución en 1820, dirigiéndose de nuevo a Barcelona. Hace editar las *Obras póstumas* de su padre y en septiembre de 1821 abandona España para no regresar jamás.

Tras pasar por Bayona se detiene en Burdeos y en 1822 se instala en la casa de Manuel Silvela y familia, con quienes vivirá hasta su muerte. Se dedica a redactar los *Orígenes del teatro español*, que dice haber concluido en mayo de 1825, pero sus intentos de vender el manuscrito para su publicación son infructuosos. Un amago de apoplejía le sobreviene a fines de ese año. Los Silvela se trasladan a París en julio de 1827 y Moratín los acompaña. En mayo del año siguiente empieza a mencionar en su correspondencia los síntomas de un cáncer de estómago –tal vez el precio de tanto chocolate caliente– y el 21 de junio de 1828 fallece. Fue enterrado en el cementerio Père Lachaise, entre las tumbas de Molière y La Fontaine. Sus restos, trasladados a España en 1853, se perdieron y se volvieron a encontrar en 1899, para ser inhumados en el cementerio de San Isidro, donde, como dice Luis Felipe Vivanco, «de acuerdo con su categoría de huesos de español ilustre en el ejercicio de las letras, se perdieron definitivamente».

LAS OBRAS

«LA COMEDIA NUEVA». La crítica en general se ha referido al estado de decadencia del teatro a mediados y a fines del siglo XVIII, y algunos estudiosos han expuesto con mayor o menor detalle las características de la llamada «comedia nueva» en esa época y, en particular, en el tiempo de Moratín. No se debe olvidar que se trata aquí de un espectáculo «de masas», frente al que los neoclásicos quieren promover un teatro «de minorías», que aspira a cautivar a un público específico lo más numeroso posible. Las críticas neoclásicas al teatro de masas afectan a todos los componentes del hecho teatral: confusión de géneros, temas y acciones inmorales, ilegales y aun criminales, una ideología reaccionaria y perniciosa, mezcla de estilos impropios, abundancia de recursos meramente espectaculares –tramoyas, mutaciones, vuelos, fuegos de artificio, acciones confusas–, locales sin condiciones, falta de rigor en la representación, vestuario inadecuado, actuación histriónica, gesticulación desmesurada y declamación chillona, público grosero e incivilizado.

En oposición a ese tipo de espectáculo, *La comedia nueva*, tras los pasos de Nicolás Fernández de Moratín, Cándido María Trigueros y Tomás de Iriarte, es un jalón esencial en la lucha contra la vieja comedia barroca y en la formulación –teórica y práctica– de la nueva comedia neoclásica y moderna. El título que da Leandro a su obra es un juego de palabras que podría inducir al equívoco, pero que es a la vez indicador del objetivo que se ha trazado. Titula *La comedia nueva* –y no *El café*, como se ha venido repitiendo–, lo que es precisamente crítica radical y negación del concepto mismo de «comedia nueva» y, a la vez, elemento definidor y casi fundacional de la nueva comedia. Y lo es no tan sólo por la originalidad del tratamiento en la dramaturgia española –siguiendo algunos sainetes de Ramón de la Cruz como *El teatro por dentro* o *El poeta aburrido*–, sino porque constituye una propuesta innovadora y revolucionaria en el espectáculo teatral: destinada a los escenarios para su representación antes que nada, es ahí donde hay –o habría– que juzgarla.

Las comedias de Iriarte y Trigueros, o *El viejo y la niña* del mismo Moratín, habían mostrado al público lo que podía esperarse de unas obras «arregladas», es decir, concebidas y compuestas según la teoría neoclásica, que resume en la palabra *reglas* una percepción del teatro globalmente contrapuesta a la del Barroco y a las formas que se alimentan de ella. Sin embargo, las obras aludidas al principio estaban todavía en verso, signo –atenuado– de cierta continuidad con la comedia anterior (pese a las enormes e insalvables diferencias que las separaban). *La comedia nueva* aporta un nuevo elemento decisivo de ruptura: la prosa, utilizada por Jovellanos y Trigueros en la década de 1770 para sus comedias lacrimosas. El lenguaje hablado –no la forma versicular más próxima al mismo, el romance– había quedado excluido del teatro barroco por razones aún no clarificadas (sostener que era elemento esencial para preservar el sentido ilusorio del mundo teatral frente a la realidad cotidiana no explica nada, sólo describe). La prosa se había visto reducida a pasos, entremeses y sainetes, es decir, los llamados «géneros menores».

Moratín utiliza la prosa en su comedia para afirmar los derechos de aquélla en la re-presentación dramática del mundo. La prosa le servirá para caracterizar a sus personajes de un modo insólito en el teatro español. Es la suya una prosa fluida, aunque con breves remansos discursivos o narrativos, coloquial y ágil, pero llena de matices. El estilo entrecortado, la proliferación de interrogaciones, exclamaciones y suspensiones –que se acentuarán en *El sí de las niñas*– se relaciona con la retórica de las lágrimas de la comedia lacrimosa. En concreto, el tono grave y sentencioso, cargado de fastidio e ira contenidos, culto y severo pero no exento de sensibilidad y bondad, será propio de Don Pedro; el lenguaje sutilmente irónico e incluso a veces burlesco, expresado en parlamentos breves e incisivos, será el de Don Antonio; el discurso florido, grandilocuente, salpicado de citas latinas o griegas, ostentoso de una erudición postiza, marcará a Don Hermógenes; el habla envanecida pero simple, propia de una presunción ridícula que parece fallar por su base, caracterizará a Don Eleuterio, y algo parecido, aunque más exagerado, sucede con su esposa, Doña Agustina; el modo coloquial más llano y sencillo, directo y sin envoltorios ni colores retóricos, será el de Doña Mariquita; Don Serapio utilizará los giros y formas estereotipadas propios del grupo social al que pertenece, los apasionados al teatro; y Pipí, el camarero, mostrará su casi incapacidad para estructurar frases con cierto sentido, carente de las ideas y el dominio lingüístico suficientes. Todos los personajes, pues, hablan *como* personas de la calle de parecida instrucción y clase social. Por último, la prosa aparece como claro contraste con el verso ampuloso de *El gran cerco de Viena*, la obra de Don Eleuterio que se estrena ese día, convirtiéndose *La comedia nueva* en el terreno de batalla donde resulta preferida y vencedora la prosa.

El carácter de la nueva propuesta dramática afecta a todos los elementos de la representación. En los decorados prosigue la línea de *El señorito mimado* de Iriarte, reduciendo los elementos a mesas, sillas y un aparador de café, es decir, objetos vulgares y cotidianos. La utillería también se reduce a cosas sencillas: un periódico, papel, tintero, salvilla, copas, frasquillos, tazas de café, una comedia impresa, un canastillo con manteles, cubiertos y otros objetos de uso en el local, un abanico, el famoso reloj de Don Hermógenes y vasos. Nada se dice del vestuario, pero se colige fácilmente que actores y actrices debían de vestir ropa de calle corriente en la época.

La acción se simplifica hasta límites desconocidos en la tradición nacional, suprimiendo todo lo que pudiera insinuar una doble intriga o el desarrollo de una metáfora inestable, aunque deje apuntados algunos elementos –como el noviazgo de Doña Mariquita y Don Hermógenes–, aquí limitados a su relación con el tema y la acción únicos. El movimiento dramático se sostiene esencialmente por la tensión que se produce entre adversarios y partidarios de la «comedia nueva», en la oposición moral respecto a la sinceridad de la comunicación entre unos y otros, así como por los cambios anímicos que sufren los personajes –en una u otra dirección– ante el estreno de *El gran cerco de Viena*. La lectura de fragmentos de dicha obra actúa como sustituto de su representación, y las acotaciones construyen un juego de movimientos y gestos escénicos que, excepto en el caso de Pipí, basculan y giran en torno a las opiniones o sentimientos que genera la comedia de Don Eleuterio. Reducida a dos actos –casi como un sainete largo– de seis y nueve escenas respectivamente, la organización arranca de una breve exposición, prosigue con un nudo extenso y conduce a un doble desenlace (el de *El gran cerco de Viena* y el de *La comedia nueva*), imprevisible y marcado al final por un sentimentalismo tierno y racionalista, pero que mantiene el interés en suspenso hasta el cierre. La sencillez de la acción se ve complementada por el interés de los caracteres en escena y la variedad de acentos en sus diálogos (tranquilos, encrespados, irónicos, discursivos, instructivos, sentimentales o irritados). El número de personajes se limita a ocho, cada uno de los cuales cumple una función diferente y complementaria en la necesaria economía dramática. El peso de la obra lo llevan los personajes de la clase media, que son quienes sirven de referencia a los demás por su nivel de instrucción y su capacidad para transmitir y argumentar sus ideas, aunque aparecen individuos, como Don Serapio, de difícil encuadramiento social. Desaparece por completo el gracioso, pieza tradicional que cargaba con la responsabilidad de todo lo cómico en el teatro anterior.

Lo que Moratín propone al público es un espectáculo radicalmente opuesto al que representa *El gran cerco de Viena*, símbolo del teatro de masas dominante en la época: frente a la ficción irreal e intranscendente de la comedia hegemónica, el realismo de costumbres contemporáneas, de ideología ilustrada y finalidad desengañadora; frente a la acción enrevesada y éxotica, la simplificación y cercanía de un suceso marcado con detalles de perceptible inmediatez; frente a la exuberancia de recursos espectaculares, la sencillez próxima a la vida diaria; frente a las masas en atropellado movimiento, los pocos caracteres individualizados y funcionales; frente al lenguaje altisonante y la versificación rebuscada (y mala), la llaneza de la prosa elaborada artísticamente; frente a la sobreactuación histriónica, la interpretación mesurada y matizada, cercana al modo de conducirse el público.

Escrita, al parecer, en Pastrana durante el verano de 1791 –aunque todos los estímulos intelectuales para una obra así estuvieran ya formulados entre 1782 y 1789–, *La comedia nueva* se estrena el 7 de febrero de 1792, con una piececita a dúo de música, *El premio de la constancia*, y el sainete *La tragedia del buñuelo*. Se mantiene en cartel seis días y se publica en Madrid el mismo año. Moratín se refiere, en su «Advertencia» a la edición de sus *Obras dramáticas y líricas* de 1825, a quienes «trataron de juntarse en gran número y acabar con ella en su primer día de representación», pero también recuerda con orgullo que «lo restante del auditorio logró imponer silencio a aquella irritada muchedumbre». Aunque nadie ha precisado las referencias en el diálogo intertextual que Moratín lleva a cabo en *La comedia nueva*, las lecturas de Molière –*La crítica de la escuela de las mujeres, Las preciosas ridículas*–, de Goldoni –*Il poeta fanatico*–, de Ramón de la Cruz e incluso de Calderón –el reloj parado de Don Hermógenes proviene de *Basta callar,* y no de Goldoni, como sugirió erróneamente Sarrailh– se encuentran sin duda entre ellas.

El espacio único de la comedia es el café –muy distinto de la plaza en que transcurre *La bottega del caffè* de Goldoni–, nuevo ámbito colectivo y público en que se entrecruzan diversas vidas o fragmentos de vidas; posible mercado con funciones de mediación y, simbólicamente, como encarnación de la villa frente a la corte; lugar indiscutible de intercambio y sociabilidad. Pero si ése es el único espacio *físico* en que se contempla la acción, hay otros espacios aludidos. Como aseguraba Vivanco, la escena que no está está constantemente en escena, ya que toda la atención está pendiente de lo que sucede –o sucederá– en el escenario del teatro donde se estrena la obra de Don Eleuterio. También amplía la localización espacial de la obra la alusión a la sala que hay en el piso superior, donde el autor novel y sus acompañantes celebran el próximo e inminente éxito de *El gran cerco de Viena*, espacio de sueños y vanas esperanzas más que de expectativas realistas y factibles. Asimismo, la habitación de Pipí, adonde se sugiere trasladar a Doña Agustina, un antro sucio y pestilente –según demuestra la variante de la primera edición–, ámbito propio del bajo pueblo al que pertenece el camarero.

El marco temporal, tal y como puede deducirse del desarrollo dramático –pues Moratín sólo añadió la acotación que especifica la duración de la acción, de cuatro a seis de la tarde, en 1825–, abarca un breve período de tiempo antes del estreno de *El gran cerco de Viena*, algo más de un acto de su representación y un lapso corto tras el fracaso. Prácticamente, pues, lo que duraría, según el horario de la temporada teatral, la ejecución de *La comedia nueva*. Se genera así un triple plano temporal en el que se sobrepone el tiempo del espectador, el tiempo de lo que sucede en la escena y el tiempo de lo que sucede en la otra escena, la que no se ve, la del teatro en que se representa la obra de Don Eleuterio.

La comicidad moratiniana no excita la carcajada continua, sino más bien la leve sonrisa: las situaciones no son intrínsecamente cómicas, aunque sí lo sean algunos episodios. Moratín funde lo cómico y lo sentimental; en lo primero, opta por lo cómico del carácter, es decir, por crear personajes que hagan reír sin darse cuenta de que divierten (Don Eleuterio, Don Hermógenes, Doña Agustina). Ellos son como son, y sólo el espectador o lector percibe –según su propia educación, gustos y cultura– lo cómico de su forma de ser y actuar. Una forma de ser que se expresa no tanto en *acciones* de carácter cómico visibles en escena como en el lenguaje con que hablan, las ideas que expresan u otros aspectos relacionados con el lenguaje (la ubicación de determinadas frases simples, la forma de intervenir en un diálogo, la utilización de modismos, giros o refranes). Es a través de una prosa coloquial como los personajes logran suscitar la sonrisa. Pero esa comicidad no se dirige a un público popular indiscriminado, pues sólo con cierta base cultural e ideológica puede captarse todo lo irónico –y risible– que tienen frases aparentemente sencillas y lineales. Aunque la comicidad parece evidente, la verdadera comicidad está más allá de lo que se escucha, se halla en las asociaciones que cierto público podía establecer para disfrutar y paladear lo cómico en su plenitud.

Lo primero y casi lo único que se ha venido resaltando de *La comedia nueva* es su carácter de sátira literaria; en realidad, se trata de metateatro en sentido puro. La reflexión sobre el teatro abarca múltiples aspectos: la comedia heroica y el espectáculo dramático dominantes en la época; la vulgaridad, bajeza y adocenamiento de los dramaturgos; el mundo teatral, en particular las relaciones del escritor con los actores, los empresarios y los aficionados; el sistema de impresiones y su falta de rigor y gusto; el significado de los grandes escritores del Siglo de Oro; el tipo de teatro que la nueva realidad exige. La implicación crítica, ideológica y creativa de Moratín en el grupo de intelectuales ilustrados que luchan por reformar el teatro es un hecho indiscutible. Defender una posición determinada –como sucederá más adelante con los románticos, los realistas o los naturalistas– presupone tener la convicción de que las opiniones propias funcionan como el «centro» desde el que juzgar la realidad que los rodea. Desde esa asunción individual y colectiva que les confiere la «autoridad» para juzgar, las demás posturas se ubican en la «periferia», en los márgenes. Y todo lo periférico o marginal es considerado anormal, irregular, fantasioso o loco. De ahí la contradicción fundamental que sugiere la obra: el éxito de una propuesta que choca frontalmente con la realidad. Más allá, por tanto, de lo metateatral, *La comedia nueva* argumenta a favor del «centro» que juzga lo periférico. Y, en concreto, la figura central de ese «centro» es Don Pedro (y, secundariamente, Don Antonio). Así, en la obra se formula –ejemplificándose en el mundo teatral– la opinión de que sólo aceptando los condicionamientos y límites que determina la educación e instrucción profesional se puede progresar en la vida, incluso ascender socialmente, y evitar el fracaso. Ese fracaso, sin embargo –en el caso de *La comedia nueva*–, no es tan sólo el de una obra o una labor profesional, sino que es también y sobre todo un fracaso humano. La derrota de la comedia de Don Eleuterio es, en gran medida, la derrota de Don Eleuterio. Precisamente por eso Don Pedro, cuya tendencia a las efusiones sentimentales es signo de la nueva sensibilidad dieciochesca y se relaciona con la comedia lacrimosa –lo que no quiere decir que *La comedia nueva* sea una comedia lacrimosa–, no es un personaje accesorio, un «doble» de Moratín que éste utiliza para exponer algunas de sus opiniones sobre el teatro, sino que es una figura esencial en el desarrollo y cierre de la obra, especialmente en el tránsito de la risa a la ternura y en su resorte ético, que es tierno, compasivo y moral. Porque no se trata sólo de burlarse despiadamente de una conducta censurable desde la óptica «central y centrada» de Moratín, sino de abrir alternativas –tal vez utópicas– que compaginen la compasión hacia el prójimo, el bienestar individual y familiar, el progreso colectivo y la reforma teatral, objetivos inseparables del orden y la estabilidad sociales que presuponen la obediencia de los súbditos y su sumisión a la autoridad legítima.

Nigel Glendinning había señalado que la crítica de la comedia desarreglada (la de Don Eleuterio) lleva pareja la crítica al desorden moral del autor, manifestada en su falta de tino y razón y en el peligro del bienestar familiar. También en la pérdida de dignidad individual. Todo ello apunta al fondo de tragedia que late en las comedias moratinianas y a lo que Ruiz Ramón vislumbra como «la radical falsedad e inautenticidad de una vocación y de unas vidas». Rafael Osuna ha puesto de relieve el valor universal de la obra al subrayar la exaltación de la virtud, que se expresa en «la fidelidad de la comunicación humana con el prójimo», enfrentada a las actitudes hipócritas y aduladoras. Virtud que encarna Don Pedro frente a «vicios» tan diferentes –y de tan distintas implicaciones– como la presuntuosa credulidad de Don Eleuterio, las ínfulas seudointelectuales de Doña Agustina, la pasividad irónica o burlesca de Don Antonio, el acrítico apasionamiento de Don Serapio, la ignorancia de Pipí, la hipocresía aduladora y la nefasta influencia de Don Hermógenes. Un conjunto de personajes entre los que sólo parece salvarse Doña Mariquita, la más inocente víctima de los manejos de su hermano y cuñada, aunque no exenta de ciertos fallos de carácter, como el ansia por contraer matrimonio. El teatro es, sin duda, el asunto principal que se ventila en la comedia, pero los ámbitos temáticos y reflexivos que se tratan o sugieren van más allá de él. A lo ya dicho puede añadirse la educación de la mujer, su posición social –es decir, su absoluta dependencia del varón–, el modelo femenino que se quiere construir como alternativa a opciones «negativas», la amistad, la hipocresía, la pedantería o la hombría de bien. En síntesis, pues, es una obra que transciende con mucho la «actualidad» de su asunto, que supera los límites de su momento y sigue siendo un espejo en el que el ser humano puede verse para pensarse y pensar.

«EL SÍ DE LAS NIÑAS». Entre el 12 de julio de 1801 y el 24 de enero de 1806, fecha del estreno, Moratín lleva a cabo no menos de seis lecturas a sus amigos de la que sería su última comedia original. En 1805, antes de su puesta en escena, se imprime una edición de la obra, con una dedicatoria fechada el 28 de noviembre, y vuelve a publicarse en 1806 con algunos cambios. El estreno, al que asistió el Príncipe de la Paz, fue novelado por Pérez Galdós en el capítulo segundo de *La corte de Carlos IV*. *El sí de las niñas* constituyó el mayor éxito de la temporada y de muchas temporadas, manteniéndose en cartel veintiséis días seguidos, hasta ser interrumpida su representación por la llegada de la Cuaresma. El éxito –según Andioc– se cimentó en los sectores acomodados y en la población femenina, y desencadenó multitud de críticas, comentarios, censuras, juicios y contrajuicios. Lo cierto es que la obra de Moratín hacía historia, y escritores tan dispares como Lista, Pérez Galdós, Clarín o Vivanco –por no hablar de los críticos– la han considerado una de las comedias inmortales y perfectas de la dramaturgia española.

Puesto que no se escriben libros sin libros, y los neoclásicos erigieron el principio de la reescritura (bajo el nombre de *imitación*) en razón consciente de su discurso teórico, los curiosos y críticos buscaron muy pronto las posibles lecturas subyacentes al texto moratiniano. La obra de Molière se dibuja con claridad en todo el esfuerzo creativo de Moratín –y surge siempre en detalles de mayor o menor importancia–, pero en el caso de *El sí de las niñas* hubo que esperar hasta que Sánchez Estevan apuntó, en 1928, hacia una obrita en un acto de Marivaux, *La escuela de las madres*, sugerencia que sería desarrollada más tarde por otros críticos. Pero las referencias intertextuales no se limitan a Marivaux. En un lector y crítico tan preocupado por la tradición teatral española hubiera sido extraño que ésta no apareciera en su obra (y la crítica, obsesionada con el presunto afrancesamiento de todos los neoclásicos, tampoco ha querido insistir en ello). Y, en efecto, está ahí. Porque los elementos de Marivaux se injertan en un marco que reelabora *Entre bobos anda el juego* de Rojas Zorrilla (sugerencia apuntada por Ruiz Morcuende). El diálogo creativo de Moratín engarza, pues, el teatro barroco español –depurado– y el clásico francés con sus preocupaciones personales, experiencias vitales y literarias, situación social e ideología.

La acción dramática acentúa el realismo de otras obras neoclásicas, al igual que la pintura del ambiente, de las costumbres y de la caracterización. Pese a lo apuntado por críticos como Casalduero o Higashitani, la acción es única, y no es otra que el próximo casamiento de Doña Francisca, joven que tiene un pretendiente oficial –conocido por la madre– y otro oculto –de cuya existencia sólo están al corriente los criados respectivos y algún otro personaje que no sale en escena–. La acción, por tanto, es una y única, de modo que hablar de diversos hilos dramáticos no deja de prestarse a confusión, en especial si con ello se quiere vincular la obra con la complejidad estructural de la dramaturgia barroca. Cierto es que la complicación del enredo es superior en *El sí de las niñas* que en *La comedia nueva* u otras obras de Moratín. Pero los diversos episodios, de tan variados registros, tienen una doble función: el progreso de la acción única y la profundización en el análisis psicológico de los caracteres. El arranque presenta una situación que amenaza con el desorden (en *El viejo y la niña* el desorden está ya consumado) y que podría acarrear nefastas consecuencias no tanto respecto al orden social, político o religioso establecido cuanto a un orden racional y natural, más ideológico que real. El desenlace, que muestra la posibilidad de incidir en la realidad mediante un pensamiento y una conducta guiados por la razón y una sensibilidad compasiva, impide ese desorden e instaura un nuevo orden. *El sí de las niñas* es, por encima de todo, comedia de costumbres y de carácter, con un claro elemento de ridículo y una fortísima dosis de lacrimosidad, por lo que la acción está subordinada a la profundización en el carácter de los personajes y su evolución. No es casual que Casalduero subrayara que «todo discurre por el diálogo», pues sólo así puede ahondarse en unos personajes que deambulan por la escena, al tiempo que por ese medio se realza el nuevo valor que el siglo XVIII otorga a la capacidad dialogante del ser humano, a su posible entendimiento gracias a la razón y la sensibilidad.

El ritmo de la acción, que progresa de forma sostenida pero no rígida, cambia conforme lo requieren las circunstancias que se van añadiendo al planteamiento inicial: una exposición breve en la que se averigua que Don Diego quiere casarse con la niña y en la que el equívoco de Simón anticipa algo de lo que va a suceder, lo mismo que la hipérbole antifrástica de Doña Irene, reducida a sus justos términos, dará en el blanco de lo que ocurre; la ilación de escenas, que compensa lo cómico y lo sentimental, lo serio y lo jocoso, lo íntimo y lo público, lo profundo y lo banal, así como el clímax con que se cierran los actos, mantiene el interés; el desenlace, minuciosamente trazado, con detalles esparcidos por aquí y por allá pero, sobre todo, con el ahondamiento y penetración en el carácter y los sentimientos de los protagonistas, es en cierto modo imprevisible y, a diferencia de *El viejo y la niña*, desborda optimismo y felicidad, no sólo individual sino social. La planeada boda de Don Diego con Doña Francisca y el conflicto triangular que se apunta por la existencia de Don Carlos (o Don Félix) ofrece un desarrollo musical que Casalduero califica de «reiteración melódica», subrayando el papel que la contradanza desempeña en la obra. La organización de la obra se orienta a mostrar cómo prepararse para bailar la contradanza, más que a bailarla.

El espacio en que tiene lugar la acción no puede ser más sencillo, único y claro: una sala de paso en el primer piso de una posada (venta, mesón, casa de huéspedes) en Alcalá de Henares, a la que dan cuatro puertas de habitaciones y las escaleras. Espacio que, pese a sus límites físicos, se abre fácilmente a otros espacios (el interior de los cuartos, las salas inferiores e incluso el exterior, de donde provienen o al que van quienes circulan por la sala). Es un territorio que se sitúa entre lo íntimamente privado de las alcobas, lo semipúblico de las salas y lo público del camino; escenario que posibilita tanto la intensidad del diálogo o el soliloquio como el dinamismo de las relaciones sociales. Es un ámbito de sociabilidad donde la acción es sobre todo diálogo, porque la vida parece encauzarse a través del uso de la palabra, es decir, de lo natural humano. Circunstancias sociológicas y climatológicas actuarán como factores que justifiquen significativos movimientos dramáticos.

La comedia se desarrolla a lo largo de diez horas, desde el atardecer hasta el alba de un día cualquiera de verano en un año más o menos próximo al del estreno, es decir, en la época del autor. El tiempo dramático va más allá del tiempo representado –con lo que Moratín se acoge a una lectura flexible de la unidad de tiempo– y, en conjunto, es transcurrir temporal de alta densidad emocional más que de acciones acumuladas. Todo en el espacio y el tiempo parece trazado con una precisión milimétrica, aunando brevedad y claridad, concentración y variedad. El tiempo físico –la luz– adquiere en *El sí de las niñas* un valor simbólico indiscutible: de la penumbra de la conciencia atribulada y la pasión perturbada, de la profunda oscuridad de la duda y la desesperación, se progresa hacia la luminosidad de la generosidad y la razón que dan paso a la serenidad y la felicidad que alumbran un futuro lleno de optimismo y confianza en el ser humano, en la juventud y en el porvenir. A la luz se le confía, de modo más palpable e inmediato, la misión de reflejar el transcurso de las horas, puntuado por un reloj que da las tres de la madrugada. El nivel simbólico no impide la claridad temporal, cuyo ritmo alcanza gran variedad de registros relacionados con las fluctuaciones psicológicas y afectivas de los personajes.

El realismo con que se trazan los caracteres amplía su dimensión humana y su proximidad con el público. Son siete los personajes que se mueven en escena y todos ellos, excepto los criados, pertenecen a las clases medias, pudiendo agruparse por parejas: Don Diego y Doña Irene, Don Carlos y Doña Francisca, Calamocha y Rita, dejando suelto a Simón. Estas tres parejas encarnan claramente dos tipos de oposición: por edad y por posición social. Lo cierto es que el conflicto clave de la obra, de carácter psicológico y afectivo, se centra en tres personajes: Don Diego, Don Carlos y Doña Francisca; en uno se configura lo ridículo y criticable (Doña Irene), y en los criados un sentido del humor que oscila entre lo tradicional y lo refinado. Todos ellos aparecen dibujados muy cuidadosamente mediante el empleo –de origen celestinesco– de lo que pudiera llamarse un enfoque múltiple que afecta a las figuras centrales. De esa manera subraya Moratín los motivos de mayor *pathos* de los personajes y excita la curiosidad del público hacia los conflictos psicológicos. La obra corre por momentos el riesgo de convertirse en una comedia lacrimosa ilustrada, pero el equilibrio entre lo cómico y lo sentimental, al que Moratín prestó una atención muy especial, impide ese deslizamiento. Si la comedia lacrimosa pone sobre todo el acento en el llanto como mecanismo para mover al público, la comedia de Moratín alcanza el difícil equilibrio entre la lágrima a punto de brotar y la risa que no llega a carcajada.

Don Diego, a sus cincuenta y nueve años, no es *todavía* un anciano, sino un hombre maduro, un otoñal interesante, lo que no hace ni ridículo ni utópico su deseo de casarse e incluso tener sucesión. Es un hidalgo burgués con raíces agrarias, sector que Moratín incluye entre las clases medias. Encarnación de la autoridad familiar –imagen privada del poder, lo mismo que el monarca lo es en el ámbito público–, manifiesta una clara conciencia crítica respecto al sistema educativo vigente. Su actitud aparece marcada por la conciencia del posible error que va a cometer, por lo que se mueve entre el afán de huir de la soledad, el amor, la sensibilidad y la razón, con su alto componente de generosidad. Nadie ha analizado mejor que Vitse la dualidad padre-amante que se da en Don Diego y los conflictos afectivos que lo caracterizan, así como las oscilaciones entre su esperanza y su resignación, quedando el anhelo de paternidad (o «abuelidad») como mal menor al que se agarra la lucidez de quien no quiere romper la dinámica de la naturaleza y como sustituto a la frustración del amor o al fracaso sentimental. Protagonista del conflicto y analista del mismo, vive una dinámica entre el subjetivismo y el objetivismo que lo convierte en un personaje redondo, es decir, de gran complejidad. Su sacrificio, su renuncia y límite, evita la quiebra de la familia, bastión esencial de una sociedad que se quiere estable, amenazada por el conato de rebeldía que traslucen las palabras de Don Carlos. Así, Don Diego alcanza una felicidad vicaria no sólo porque hace felices a los jóvenes, sino también porque le salva la vida a su sobrino.

La dama de la comedia, Doña Francisca, es uno de esos ejemplos casi arquetípicos de niña-mujer, con las limitaciones y desafíos que la escena impone a la representación convincente de tal dualidad. Con dieciséis años cumplidos, Paquita se muestra con una desenvoltura entre ingenua y pícara, como una jovencita linda, graciosa, bien educada e inocente. Pero a partir del momento en que el público se entera de su amor por Don Félix (Don Carlos), esos rasgos se relocalizan, cobrando una nueva dimensión: la capacidad de simulación y fingimiento oculta una interioridad afectiva en ebullición. Simulación, y no hipocresía, porque carece de cualquier malicia y no es sino una estrategia determinada por la actitud materna. Su objetivo es no herir y no enfrentarse abiertamente a su madre. Pero, sobre todo, permite percibir a la mujer sensible que conoce el dolor de amor y lo que significa amar. El conflicto que atormenta a Doña Francisca se sitúa entre los deseos de la madre, a los que no puede oponerse frontalmente, y su amor hacia Don Félix, que no puede confesar por la misma razón. Su edad es un factor decisivo para explicar que no pueda asumir autónomamente su propia libertad, depositando su esperanza bien en su joven enamorado, bien en Don Diego. Si éste es un modelo ejemplar de hombre maduro, en Paquita se vislumbra el modelo ejemplar –desde la óptica varonil de Moratín– de la mujer joven: hija obediente que será una mujer de bien y sabrá dedicarse a las labores domésticas, a la utilidad hogareña, al cuidado y crianza de los hijos y a la gestión de la economía familiar. Es una mujer respetuosa, humilde, amante honesta y, por tanto, digna de la recompensa final que la sociedad patriarcal puede ofrecerle.

Aunque Don Carlos no entra en acción hasta la escena séptima del acto segundo, su existencia planea sobre los demás desde el comienzo mismo de la obra. Ese juego de ausencia y presencia marca la figura y función del personaje, a lo que se añade el enmascaramiento de su identidad en sus relaciones con Paquita. El joven, oficial y miembro de una orden de caballería, es presentado por su criado Calamocha como el prototipo de galán barroco (o de sus versiones contemporáneas), pero esa imagen sólo sirve como punto de referencia y contraste para desvelar la identidad construida por Moratín. En efecto, Don Carlos, cuyas preocupaciones económicas se limitan a obtener fondos de su tío, compagina su interés por las ciencias y la inteligencia con una sensibilidad notable y una afectividad honesta y mesurada. Es, pues, un «típico racionalista caballero de la Ilustración», como dice Sebold. Su valentía militar, que se subraya en la narración, no lo define más que parcialmente. Porque su verdadero valor se sitúa en el campo de la razón, la mesura, la finura en el trato social, la capacidad de diálogo y de reflexión, la honestidad, el respeto a la legalidad y un sentido elevadísimo de la obediencia. Pese a que por su edad –veinticinco años– podría enfrentarse con su tío, que es su tutor, e imponer su decisión escapando con la mujer que ama, se realza su autocontrol y su sentido del respeto filial. Moratín, pues, ha creado un modelo de galán ilustrado que sitúa la razón como guía de conducta pero que, a la vez –y contra lo que han opinado algunos críticos–, entronca con los jóvenes y ardorosos galanes del teatro barroco que se prendan de su dama a primera vista y que actúan como rendidos amantes. Amor ardiente y defensa del honor, pero respeto a la familia y a las leyes, valentía pero inteligencia. La dialéctica entre ese amor y los principios de respeto y obediencia ha hecho de Don Carlos un personaje mal comprendido. Carece de la verborrea, la altanería y la acción caótica y desaforada del galán del Siglo de Oro, pero presenta todos los rasgos de un joven de clase media, enamorado y honesto, apasionado y obediente. Como sucede en la tragedia neoclásica en relación con la aristocracia, el nuevo modelo de varón que se construye durante el neoclasicismo subraya la obediencia –hacia el rey o hacia cualquier otra instancia de autoridad–, junto con el desarrollo de la conciencia individual autónoma, como elementos fundamentales para un orden social que se quiere racional, civilizado, progresista y perfectible. De ahí que la obediencia tienda a no ser un principio vacío, sino que se fomenta hacia una autoridad preocupada por el bien colectivo, guiada por la razón, la comprensión y la compasión. Así, tras una rebelión contenida en límites verbales muy comedidos y en gestos escénicos muy expresivos, la única salida que vislumbra Don Carlos cuando intuye que todas las otras se le cierran es partir a la guerra en busca de una muerte previsible. Pero la obediencia se justifica en último término porque Don Diego sabrá ajustar su conducta y decisiones a los valores que la Ilustración promueve. Don Carlos aparece construido, por tanto, con las galas del héroe urbano del teatro barroco, pero con los principios y características del hombre de bien ilustrado.

En Doña Irene se encarna lo ridículo de la comedia (recuérdese que Moratín creía que no todos los personajes debían ser ridículos), y es a través de ella –o de lo que dicen quienes a ella se dirigen, o de quienes hablan sobre ella– por donde se vehicula gran parte de la carga crítica y satírica –por ironía– de la obra, especialmente dirigida hacia la beatería de algunos sectores del clero seglar o regular y hacia ciertas religiosas enclaustradas, poniéndose así de relieve una religiosidad laica que rompe con las formas tradicionales. Emparentada con la tía Mónica de *El barón*, de quien también la separan rasgos esenciales, es la madre que ejerce su autoridad de modo despótico y arbitrario, basada en el demasiado repetido concepto de querer el bien de la hija, cobertura tras la que se oculta la búsqueda de una salida a la peligrosa situación económica en que se encuentra. Si la tía Mónica está dispuesta a ceder a Isabel a cambio de un tratamiento de «doña», Doña Irene, acuciada por la necesidad, lo está también para salir de trampas y resolver establemente su situación económica. Ambas empujan a sus hijas a un matrimonio obligado que no tiene en consideración los sentimientos de las jóvenes, construidas imaginariamente, en este caso, como proyección de los deseos maternos. Hidalga originaria de las zonas y ambientes más retardatarios de la Castilla profunda, sus timbres de gloria antigua no consiguen ocultar su pobreza real y su condición inferior a la de Don Diego. Sus principios educativos se reducen al ordeno y mando, supuesta la incapacidad de los jóvenes para tomar las decisiones apropiadas, no dudando en llegar al chantaje afectivo e incluso a la agresión física para imponerse. Suplanta sistemáticamente la voz de la hija –del mismo modo que interrumpe groseramente a sus interlocutores–, pero su corto alcance y su miopía para percibir la realidad que tiene delante le impiden acomodarse a unas circunstancias que no puede controlar. Su cambio final –ante la sustitución de un prometido por otro– no es prueba tanto de un desengaño intelectual como de una fácil y cómoda adaptación a lo que no se opone a sus intereses de fondo.

El sí de las niñas prosigue –en cuanto a su dimensión escenográfica– la propuesta innovadora que ya se veía en *La comedia nueva*, y su teatralidad ha sido estudiada por González Herrán. Los decorados se limitan a crear el ambiente propio de una posada, aunque algunas alusiones insisten en lo incómodo del lugar, la mugre, el deterioro y los parásitos. Las parcas referencias al vestuario se basan en el principio de que los actores lleven ropas habituales en la vida cotidiana. Así, las mujeres visten mantillas y basquiñas; Don Diego, sombrero y bastón al salir, y bata cuando se levanta de la cama para dejar su habitación; Don Carlos, aunque nada se diga, debe llevar el uniforme de oficial de caballería. La utillería recurre a los objetos habituales en ese tipo de espacio, así como los propios de los personajes y sus acciones; en conjunto, elementos de una precisa funcionalidad dramática. Algunos de estos objetos cobran un valor simbólico indudable: la jaula del tordo, por ejemplo, o las luces, como ya se ha comentado. Un último elemento escenográfico lo constituye la música de raíz popular –que en la primera edición era también canto de Don Carlos– y que tiene una función precisa en el desarrollo de la acción. En conjunto, pues, todos los elementos señalados, así como los que se deducen de las referencias que hacen los personajes, constituyen el entramado de detalles materiales que confieren a las comedias moratinianas esa dimensión realista y moderna sobre la que es preciso insistir.

A esa variedad de detalles que ayudan a configurar una imagen realista con la que se refuerza la ilusión escénica –concepto clave en la teoría neoclásica– se añade la aparente naturalidad del lenguaje, incluidos el leísmo y laísmo constantes en la escritura moratiniana. El lenguaje de la comedia es sencillo y natural, con una prosa sin fisuras y un diálogo dramático vivo y eficaz. Lejos de la confusión entre lírica y narración, aquí la prosa de Moratín alcanza un nivel expresivo y constructivo absolutamente moderno (aunque algunos modos y giros hayan desaparecido ya de nuestro lenguaje). El dramaturgo pretendió y consiguió un lenguaje que, siendo literario, resultara lo menos «literatura» posible y que le permitiera identificar a cada personaje por su modo de hablar, algo que ya había logrado Cervantes en la novela. Los personajes, pues, no se expresan tan sólo según su clase social o su instrucción; cada uno de ellos *es* su modo de hablar. Y ese modo se ajusta a los diferentes estados anímicos, afectivos o de acción. Se trata, más que de un simple lenguaje funcional, de un lenguaje identificador.

El sí de las niñas muestra que sólo mediante el ejercicio de la razón y de la compasión se puede evitar el desorden y, como corolario, alcanzar la felicidad. El desenlace confirma que la felicidad no es tan sólo una posibilidad remota, sino que debe entenderse como algo al alcance del ser humano, que en el marco de la obra ha podido lograrse gracias al control de las pasiones, la comprensión racional de la situación, la compasión afectiva hacia el prójimo y la adopción de medidas racionales para su superación. Razón y compasión aparecen identificadas con la *autoridad*: en la familia, en la monarquía y en el mundo divino. La jerarquía familiar (del tío-tutor, figura paterna), la jerarquía política (del rey) y la jerarquía divina (del Ser supremo) son la imagen misma de la razón y de la compasión. La aceptación y sometimiento a esa jerarquía va a producir el desenlace feliz: la bondad de Dios –concebido como Razón y Compasión– se derrama sobre su rebaño como reflejo de la bondad del hombre racional y sentimental que asciende hacia el Ser supremo, pero pasando por la bondad mostrada en el respeto y la obediencia a la figura paterna y al mando militar (real). *El sí de las niñas* sería una obra «religiosa» si se aceptara que es una religión la creencia en la perfectibilidad del ser humano y en el papel de la razón y el sentimiento en la conquista de la felicidad, así como la victoria de la esperanza en la posibilidad de un paraíso humano reencontrado gracias a la renuncia última de la figura paterna y a la disposición al sacrificio de los jóvenes. Asunto central que se desarrolla con una constelación de otras preocupaciones típicamente moratinianas: la educación de la mujer, la matizada defensa de su libertad de elección, el dilema entre el amor y la aceptación de la vejez, la sátira de la ignorancia, la vulgaridad, la hipocresía y la beatería.

La última obra original de Moratín se sitúa en el límite de los planteamientos neoclásicos e ilustrados, sin llegar a abrirse al Romanticismo. Porque en ella se reafirma la convicción firme en dos valores típicos de la Ilustración europea: la razón y el sentimiento como unidad inseparable y la felicidad en su doble dimensión individual y colectiva. Ambos valores pueden ser la base para un mundo armónico y ordenado. Moratín cree en esos ideales y la obra los reafirma. Por el contrario, el romántico no creerá en la posibilidad terrenal de la felicidad, la razón será una herida que sólo el sentimiento pasional podrá curar, y el orden armónico –social e individual– desaparece de su horizonte de expectativas. Los aspectos de *El sí de las niñas* que se han querido calificar como «prerrománticos» no son sino elementos que la filosofía, la literatura y la cultura de la época ya habían integrado y desarrollado en numerosos lugares. El autor toma algunos de esos aspectos, pero los somete a su visión del mundo inequívocamente ilustrada y neoclásica.

Moratín no es un neoclásico más, sino un verdadero clásico de nuestro teatro. Referencia insustituible para el conocimiento de la evolución de los modos dramáticos, clave para la comprensión de un género que llegará hasta el presente, sus textos reviven continuamente por su capacidad para atraer al público y solicitar su ejercicio crítico y sentimental. El neoclasicismo significa el cambio del canon que sirve de modelo para la escritura. Las medidas y proporciones varían radicalmente –y a conciencia– respecto a la grandiosidad del teatro barroco. El nuevo canon responde a un mundo que ha puesto al hombre con sus dimensiones reales en el centro de la interpretación y el conocimiento de todo. Y en el nuevo canon, la obra de Moratín se recorta con dimensiones titánicas: las de la difícil facilidad que, como señalaba Larra, «desanima al escritor que empieza».

LOS TEXTOS

Carecemos de manuscritos de las dos comedias que aquí se publican, por lo que está descartada cualquier aproximación documentada a la génesis de los textos publicados en las ediciones príncipes de ambas obras. *La comedia nueva* se publicó poco después del estreno, pues Moratín envió un ejemplar a Forner el 22 de febrero de 1792. En 1796 Bodoni da a luz una edición en Parma, preciosidad bibliográfica de poco interés textual. *El sí de las niñas* se publica a fines de 1805, pero Moratín introduce algunas correcciones después del estreno; esa versión es la que se publica en 1806 y sirve de base a ediciones posteriores. Los textos de 1792 y 1806 se trasladarán a la edición de las *Obras dramáticas y líricas* de Moratín, Augusto Bobée, París, 1825.

Para esta edición he tomado como base de ambas comedias la edición de las *Obras dramáticas y líricas*, con las correcciones manuscritas que Moratín realizó en su propio ejemplar, puesto que es el único que expresa la última voluntad del autor sobre las obras y, por tanto, es la versión que consideraba definitiva. Heredado por Manuel Silvela, dicho ejemplar pasó a la Biblioteca Nacional, donde se guarda en la sección de Raros con la signatura R/2571-3. Se ha cotejado con otras ediciones y a pie de página se comentan algunas de las variantes más destacadas o significativas.

He modernizado la ortografía, habida cuenta de la inexistencia de diferencias fonéticas que justificasen su mantenimiento.

EL SÍ DE LAS NIÑAS.

ACTO I.

SCENA I.

DON DIEGO, SIMON.

~~(Sale D. Diego de su cuarto. Simon que está sentado en una silla, se levanta.)~~

D. DIEGO.

¿No han venido todavia? (1)

SIMON.

No, señor.

D. DIEGO.

Despacio la han tomado, por cierto.

SIMON.

Como su tia la quiere tanto, segun parece, y no la ha visto desde que la llevaron á Guadalajara.

D. DIEGO.

Sí. Yo no digo que no la viese; pero con media hora de visita y cuatro lágrimas, estaba concluido.

(1) Sale D. Diego de su cuarto. Simon que está sentado en una silla se levanta.

Primera página de *El sí de las niñas* en la edición de las *Obras dramáticas y líricas de Moratín* (París, 1825). Este ejemplar perteneció al autor, que introdujo en él varias correcciones manuscritas; aquí, Moratín indica que la acotación debe colocarse a pie de página.

Ha sido el caso de *x* o *g* por *j* (*baxo, Guadalaxara, viegecita*); *y* por *i* (*donayre, oygo*); *b* por *v* y viceversa, según los criterios actuales (*vichos, abestruz*); *z* por *c* (*zeloso*); *q* por *c* ante *u* (*quatro, quantos*); supresión de *h* sin valor distintivo (*hermitaño, harrieros*); o formas que sí tienen valor distintivo y cuya conservación, por tanto, podría inducir a error (*comprehenden*). Un caso particular lo constituye el nombre falso del galán de *El sí de las niñas*, al que en toda la obra se le llama *D. Féliz*: he seguido el criterio de todos los editores, llamándolo *D. Félix*. Asimismo, he modernizado la puntuación, aunque no me he ajustado al criterio de otros editores, aun sabiendo que algunas de mis soluciones pueden no ser compartidas.

Un problema muy específico lo plantean las acotaciones. Moratín quiso, casi desde el comienzo de su carrera dramática, que en el papel impreso el texto apareciera limpio, mero texto literario. Para ello, insistió en que las acotaciones figurasen siempre a pie de página, y así es en la mayoría de ediciones que pudo controlar. No lo hizo con la de París, y en su ejemplar se molestó en indicar todos los cambios que tocaban a ese aspecto. Recuérdese, pues, en el momento de la lectura, que el lugar físico de las acotaciones en esta edición no coincide con el que Moratín hubiera deseado. Además, al desplazar las acotaciones, todos los editores se han visto obligados a añadir en algunas ocasiones el nombre del personaje a que se refieren, cosa que no sucede al indicarlas al pie de la página. Algo parecido sucede con la posición del nombre del personaje que habla: Moratín lo quería centrado en la página; aquí, por criterios de la colección, va al margen.

LA CRÍTICA

Los textos que aquí se publican –con la corrección de algunos lugares gracias a lo sugerido por René Andioc y Nathalie Bittoun-Debruyne– son los editados en la «Biblioteca Clásica» de Editorial Crítica, Barcelona, en 1994. Ahí se encontrará un estudio preliminar de Fernando Lázaro Carreter, más completa documentación bibliográfica, todo el aparato crítico y de variantes y una anotación exhaustiva. Por desgracia para quien desee acercarse a la creación íntegra de Moratín, no existe ninguna edición moderna de sus obras completas. Lo más accesible todavía es el volumen II de la Biblioteca de Autores Españoles, titulado *Obras de D. Nicolás y D. Leandro Fernández de Moratín*, con numerosas impresiones en diferentes editoriales. Las recopilaciones antiguas más sugerentes son las ya citadas *Obras dramáticas y líricas* (1825, en tres volúmenes) y los tres tomos de las *Obras póstumas* (Rivadeneyra, Madrid, 1867-1868). Son necesarios para conocer al autor y su vida el *Epistolario* (Castalia, Madrid, 1973) y el *Diario* (Castalia, Madrid, 1968). Recientemente se han publicado en ediciones cuidadas el *Viaje a Italia* (Espasa-Calpe, Madrid, 1991), las *Apuntaciones sueltas de Inglaterra* (PPU, Barcelona, 1992) y las *Poesías completas* (Sirmio-Quaderns Crema, Barcelona, 1995).

Un buen repertorio bibliográfico y algunos textos críticos esenciales pueden encontrarse en el cuarto tomo de la *Historia y crítica de la literatura española*, editado por José Miguel Caso González: *Ilustración y neoclasicismo*, Crítica, Barcelona, 1983, así como en el *Primer suplemento* a dicho volumen, editado por David T. Gies y Russell P. Sebold, Crítica, Barcelona, 1992. La actualización bibliográfica sobre Leandro Fernández de Moratín puede seguirse en la *Bibliografía dieciochesca*, que publica con cierta periodicidad el Instituto Feijoo de Estudios del Siglo XVIII, y en el «Cajón de sastre bibliográfico» que incluye regularmente la revista *Dieciocho*.

No existe hasta el presente ninguna auténtica biografía de Leandro Fernández de Moratín. Por tanto, el interesado en la vida del autor debe acudir a las páginas de Manuel Silvela, «Vida de don Leandro Fernández de Moratín», en *Obras póstumas*, Francisco de Paula Mellado, Madrid, 1845, t. II, pp. 5-64; a las de Juan Antonio Melón, «Desordenadas y mal digeridas apuntaciones», en Leandro Fernández de Moratín, *Obras póstumas*, t. III, pp. 376-388; o a las de Buenaventura Carlos Aribau al comienzo de las *Obras de D. Nicolás y D. Leandro Fernández de Moratín*; a la «Vida» que escribe John C. Dowling en su introducción a *La comedia nueva*, Castalia, Madrid, 1970, pp. 15-39 –donde se incluye una versión del texto de Melón–; al capítulo que le dedica Giuseppe C. Rossi en *Leandro Fernández de Moratín. Introducción a su vida y su obra*, Cátedra, Madrid, 1974, pp. 33-47; o al apartado que le consagro yo mismo, «Una vida en la cuerda floja», en la introducción a *Poesías completas*, pp. 17-44.

El único intento de acercarse a la totalidad de la obra de Moratín es el realizado por Giuseppe C. Rossi, aunque se caracteriza por su superficialidad, lo mismo que el de Leandro Conesa Cánovas, *Leandro Fernández de Moratín*, EPESA, Madrid, 1972. Apuntes muy sugerentes contiene el estudio de Luis Felipe Vivanco *Moratín y la ilustración mágica*, Taurus, Madrid, 1972. Asimismo, es de gran interés el trabajo de Guido Mancini «Perfil de Leandro Fernández de Moratín», en *Dos estudios de literatura española*, Planeta, Barcelona, 1970, pp. 205-340. Más enfocado en su producción dramática, es de consulta imprescindible René Andioc, *Sur la querelle du théâtre au temps de Leandro Fernández de Moratín*, Imprimerie St.-Joseph, Tarbes-Burdeos, 1970, traducido y retocado en *Teatro y sociedad en el Madrid del siglo XVIII*, Castalia, Madrid, 1976 (y reimpreso con correcciones en 1987). El mayor problema de este estudio radica, por un lado, en su pretensión de ser absolutamente objetivo; por el otro, en proporcionar una interpretación ideológica que, si bien estimula la reflexión, no siempre resulta convincente. Un conjunto de trabajos de desigual interés se encuentra en el volumen colectivo *Coloquio internacional sobre Leandro Fernández de Moratín*, Piovan, Abano Terme, 1980. El estudio de Hidehito Higashitani *El teatro de Leandro Fernández de Moratín*, Plaza Mayor, Madrid, 1972, es un intento fallido de analizar la obra dramática del autor. De mayor interés es la visión apretada que ofrece Francisco Ruiz Ramón en su *Historia del teatro español*, Alianza, Madrid, 1967, t. I, pp. 352-361, lo mismo que la lectura del teatro moratiniano que presenta Nigel Glendinning en «Rito y verdad en el teatro de Moratín», *Ínsula*, 161 (1960), pp. 6 y 15. Antonio Domínguez Ortiz ha relacionado a Moratín con su época y su sociedad en «Don Leandro Fernández de Moratín y la sociedad española de su tiempo», *Revista de la Universidad de Madrid*, IX (1960), pp. 607-642; Edith Helman ha estudiado su percepción del pueblo y lo popular en «Goya y Moratín: actitudes ante el pueblo en la Ilustración española», *Revista de la Universidad de Madrid*, IX (1960), pp. 591-605. Por su parte, Luis Sánchez Agesta ha abordado los vínculos entre Moratín y el despotismo ilustrado en «Moratín y el pensamiento político del despotismo ilustrado», *Revista de la Universidad de Madrid*, IX (1960), pp. 567-589, en tanto José Antonio Maravall analizó la significación política y sociológica del teatro moratiniano en «Del despotismo ilustrado a una ideología de las clases medias: significación de Moratín», en *Coloquio internacional sobre Leandro Fernández de Moratín*, pp. 163-192. Las ideas teatrales de Moratín fueron expuestas por John C. Cook, *Neo-Classic Drama in Spain. Theory and Practice*, Southern Methodist University Press, Dallas, 1959, y poco profundizadas por Hidehito Higashitani en «Las ideas teatrales de Leandro Fernández de Moratín: en torno a su definición de la comedia», *Ibero-Romania*, III (1971), pp. 269-284; he analizado ese pensamiento en la «Introducción» a la edición de «Biblioteca Clásica», pp. 5-30.

Los primeros estudios que proporcionan cierta luz sobre *La comedia nueva* se deben a John C. Dowling, en particular su «Introducción» a *La comedia nueva*, así como su artículo «Moratín's *La comedia* nueva and the Reform of the Spanish Theater», *Hispania*, LIII (1970), pp. 397-402. Rafael Osuna, en «Temática e imitación en *La comedia nueva* de Moratín», *Cuadernos Hispanoamericanos*, 317 (1976), pp. 286-302, propone una interpretación de la obra que trasciende las limitaciones del momento en que fue escrita para subrayar sus valores universales, ofreciendo así una perspectiva nueva sobre el texto. Edward Baker, «In Moratín's Café», en *Institutionalization of Literature in Spain*, ed. W. Golzich y N. Spadaccini, Prisma Institute, Minneapolis, 1987, pp. 101-123, ha ofrecido una sugerente y discutible interpretación de *La comedia nueva* como construcción de un espacio en el que tienen lugar relaciones de mercado, puesto que el escritor va a vender su producto en un marco específicamente urbano.

El sí de las niñas suscitó la reseña de Alberto Lista «*El sí de las niñas*, comedia en tres actos, en prosa. Su autor, Inarco Celenio», *El Censor*, XI (1821), pp. 336-342, y, en una de sus representaciones decimonónicas, el comentario admirado y lleno de juiciosas opiniones de Mariano José de Larra, «Representación de *El sí de las niñas*, comedia de don Leandro Fernández de Moratín», *La Revista Española*, 2 de febrero de 1834 (incluido en *Artículos completos*, ed. M. Almagro Sanmartín, Madrid, Aguilar, 1944, pp. 383-386). Uno de los artículos más serios e iluminadores sobre *El sí de las niñas* es el de Joaquín Casalduero, «Forma y sentido de *El sí de las niñas*», *Nueva Revista de Filología Hispánica*, XI (1957), pp. 35-56, en el que desentraña algunos de los aspectos fundamentales de la organización dramática y de los elementos simbólicos que en ella se mueven. Enrique Moreno Báez se aproxima al problema del romanticismo moratiniano en «Lo prerromántico y lo neoclásico en *El sí de las niñas*», en *Homenaje a la memoria de don Antonio Rodríguez Moñino*, Castalia, Madrid, 1975, pp. 465-484. Loreto Busquets, en «Iluminismo e ideal burgués en *El sí de las niñas*», *Segismundo*, XXXVII-XXXVIII (1983), pp. 61-88, interpreta la obra como una manifestación de la relación entre las posturas ilustradas y el ideario de la burguesía ascendente; muy sugerente es el artículo de Roberto G. Sánchez «*El sí de las niñas* o la modernidad disimulada», *Ínsula*, 432 (1982), pp. 3-4, en el que argumenta a favor de lo moderno de la obra. Julio Prieto, «El sí de los súbditos: Leandro Fernández de Moratín y la escenografía neoclásica del poder», *Hispania*, LXXXI (1998), pp. 490-500, interpreta la obra –siguiendo y matizando a Andioc– como manifestación de una ideología difusa que propicia la obediencia y el mantenimiento del *statu quo*. La teatralidad –es decir, todos los aspectos que configuran la obra como espectáculo teatral– ha sido analizada con detenimiento por José M. González Herrán, «La teatralidad de *El sí de las niñas*», *Segismundo*, XXXIX-XL (1984), pp. 145-171. El tratamiento de la mujer ha merecido una muy sugerente atención de Kathleen Kish, «A School for Wives: Women in Eighteenth-Century Spanish Theater», en *Women in Hispanic Literature: Icons and Fallen Idols*, ed. Beths Miller, University of California Press, Berkeley, 1983, pp. 184-200. Russell P. Sebold ha estudiado los elementos realistas de la comedia y su relación con aspectos biográficos en «Autobiografía y realismo en *El sí de las niñas*», en *Coloquio interna-*

cional sobre Leandro Fernández de Moratín, pp. 213-227. Los mecanismos irónicos han recibido la atención diligente y perspicaz de Philip Deacon, «La ironía en *El sí de las niñas*», en *El teatro español del siglo* XVIII, ed. J. Sala Valldaura, Universidad de Lérida, Lérida, 1996, t. I, pp. 289-307.

Los textos que subyacen a la última obra original de Moratín han sido sugeridos o analizados por F. Vézinet, «Moratín et Molière», en *Molière, Florian et la littérature espagnole*, Hachette, París, 1909, pp. 207-234; Federico Ruiz Morcuende, en el «Prólogo» a L. Fernández de Moratín, *Teatro*, La Lectura, Madrid, 1924, pp. 7-71; Ismael Sánchez Estevan, «En el centenario de Moratín. *El sí de las niñas*», *La Esfera* (30 de junio de 1928), pp. 6-7; J.F. Gatti, «Moratín y Marivaux», *Revista de Filología Hispánica*, III (1941), pp. 140-149; y Carlo Consiglio, «Moratín y Goldoni», *Revista de Filología Española*, XXVI (1942), pp. 1-14. La relación entre Moratín y Marivaux ha sido replanteada inteligentemente por Nathalie Bittoun-Debruyne, «Moratín y Marivaux: ¿Influencia o convergencia?», *Revista de Literatura*, LX (1998), pp. 431-462.

Los cinco pasajes siguientes constituyen otras tantas aproximaciones a Leandro Fernández de Moratín y sus dos obras editadas aquí. El primero es un fragmento de la reseña de Larra a *El sí de las niñas* («Representación de *El sí de las niñas*...», p. 385), en que pondera la hábil mezcla de razón y sentimiento, risa y llanto, propia del teatro moratiniano. El segundo, de Rafael Osuna («Temática e imitación...», p. 294), analiza la importancia de los principales protagonistas de *La comedia nueva*. Por su parte, Joaquín Casalduero («Forma y sentido...», p. 38) señala el valor simbólico del tiempo en *El sí de las niñas*, y Russell P. Sebold («Autobiografía y realismo...», p. 226-227) valora su particular interés por los detalles. Finalmente, Julio Prieto («El sí de los súbditos...», p. 499) propone una interpretación de la renuncia final de Don Diego.

Moratín ha sido el primer poeta cómico que ha dado un carácter lacrimoso y sentimental a un género en que sus antecesores sólo habían querido presentar la ridiculez. No sabemos si es efecto del carácter de la época en que ha vivido Moratín, en que el sentimiento empezaba a apoderarse del teatro, o si es un resultado de profundas y sabias meditaciones. Ésta es una diferencia esencial que existe entre él y Molière. Éste habla siempre del entendimiento, y le convence presentándole el lado risible de las cosas. Moratín escoge ciertos personajes para cebar con ellos el ansia de reír del vulgo; pero parece dar otra importancia, para sus espectadores más delicados, a las situaciones de sus héroes. Convence por una parte con el cuadro ridículo al entendimiento; mueve por otra al corazón, presentándole al mismo tiempo los resultados del extravío ... En nuestro entender éste es el punto más alto a que puede llegar el maestro; en el mundo está el llanto siempre al lado de la risa; parece que estas afecciones no pueden existir una sin otra en el hombre; y nada es por consiguiente más desgarrador ni de más efecto que hacernos regar con llanto la misma impresión del placer. MARIANO JOSÉ DE LARRA

Moratín censura vicios en su comedia, pero éstos son de dos clases: de la razón y de la conducta. Hasta ahora la crítica ha insistido en los primeros y se ha olvidado de los segundos, que son los que realmente le dan perennidad a la obra. Moratín no trata sólo de apalear la «comedia nueva», sino también la moralidad de sus contemporáneos. Ello lo hace eligiendo en su tablado a un personaje de verdadera altura ética, quien castigará sin odio e ilustrará sin saña. El atajo complaciente de Don Antonio no es el que sigue Don Pedro, que a nuestros ojos no tiene nada de «antipático». Prefiere éste sacrificar los intereses que le harían más popular, a los más dignos de la verdad desnuda. Su sentido de la dignidad –es decir, lo que él piensa de sí mismo– no le persuade a menos. No se crea, por tanto, que Don Eleuterio es el protagonista de esta obra; lo es sólo en la superficie. La obra se concentra sobre él y su comedia, y he ahí lo regocijado de la pieza; pero es Don Pedro quien alza su estatura sobre los demás personajes. Don Eleuterio no es héroe, sino figurón; no razón, sino excusa. RAFAEL OSUNA

Los personajes de Moratín son de medidas estrictamente humanas, de una humanidad que no se individualiza, sino que se generaliza. La generalización aúna y concentra fuertemente a esos hombres y mujeres. El año no se nos dice cuál es, la estación podemos sospecharla, y estas diez horas que van de las siete a las cinco se convierten poco a poco en un atardecer, una madrugada y una aurora, a la vez, cauce dramático –exposición, peripecia y desenlace– y encuadramiento simbólico, generalizador de la acción: perturbación de las pasiones, sueño de la razón y su despertar; la acción nos lleva de la inquietud del sentimiento a la serenidad, la cual tiene la forma de felicidad social. Por eso la luz, además de mostrarnos el paso de las horas, tiene una función dramática –la oscuridad da motivo a la peripecia– y tiene también un oficio simbólico: la razón se va imponiendo a los hombres y el sol sustituye a las tinieblas de la noche. La comedia tiene una profunda y ancha base moral que se apoya en el hombre, pero este tono masculino depende tanto de la mujer, que el acento femenino adquiere una inusitada importancia. La solidez de la obra va unida a la delicadeza y la gracia ... Claridad, orden en la exposición y precisión en el trazado, éstas son las características de *El sí*. JOAQUÍN CASALDUERO

¿Cuándo antes en la literatura se ha sabido el número de la habitación de un huésped de posada? ... En las acotaciones a la cabeza de la obra se nos dice que la decoración la forman en parte «cuatro puertas de habitaciones para huéspedes, numeradas todas». Estos pormenores, tan vulgares pero a la vez tan encantadores por su novedad entonces, se hacen posibles no sólo por la nueva importancia del detalle para el hombre observador a lo dieciochesco, sino por la costumbre personal de Moratín de apuntar en sus diarios de viaje los números de las habitaciones en que se hospedaba ... La extraordinaria modernidad del realismo moratiniano en *El sí de las niñas* estriba en la abundancia y vulgaridad de los pormenores psicológicos y ambientales. Moratín se ha anticipado en ciento veinte años a lo que Azorín aconsejaría a un joven escritor que le escribió hacia 1925 preguntando qué procedimiento debía emplear en la novela que escribía: «En una tarjeta de visita –dice Azorín– he puesto únicamente estas palabras: *Pormenores, pormenores y pormenores*. Y nada más». RUSSELL P. SEBOLD

En suma, el sí del súbdito, el sí a la autoridad y el problema general de metodología política que se plantea para obtenerlo, subyace, como inquietud central de Moratín, en la génesis y planteamiento, como conflicto sociosexual, del «sí de las niñas». Finalmente será Don Diego –encarnación de un nuevo concepto de autoridad «filantrópica»: el «despotismo ilustrado»– quien otorgue «el premio», la felicidad, a cambio de la sumisión. A fin de conservar intacta su autoridad, que en él no es un medio (un instrumento para conseguir otra cosa, como en doña Irene) sino un fin en sí misma, don Diego cede y se «sacrifica». O, acaso mejor dicho, negocia, propone una transacción: la felicidad del hijo/súbdito *a cambio de* la autoridad del padre/rey, el sí al deseo *a cambio del* sí al poder –el sí de las niñas trocado en el sí de los súbditos–. JULIO PRIETO

TABLA

LA COMEDIA NUEVA

EL SÍ DE LAS NIÑAS

CLÁSICOS Y MODERNOS

PUBLICADOS BAJO LA DIRECCIÓN DE
FRANCISCO RICO

Coordinación general: GONZALO PONTÓN GIJÓN

Diseño de la colección: COMPAÑÍA DE DISEÑO

Fotocomposición: VÍCTOR IGUAL

ISBN: 84-8432-197-5
Depósito legal: B. 8.085-2001
Impreso en España
2001 – A & M Gràfic, S.L., Santa Perpètua de Mogoda (Barcelona)

Este libro, publicado
por EDITORIAL CRÍTICA,
se acabó de imprimir en
los talleres de A & M Gràfic
el 26 de marzo de 2001